GW00657969

DU MÊME AUTEUR

Aux Éditions Gallimard

LA BLOUSE ROUMAINE, *roman* («L'Infini»).

EN TOUTE INNOCENCE, *roman* (Folio, n° 3502).

À VOUS, *roman*. Édition revue par l'auteur en 2003 (Folio, n° 3900).

JOUIR, *roman* (Folio, n° 3271).

LE PROBLÈME AVEC JANE, *roman* (Folio, n° 3501). Grand Prix des lectrices de *Elle* 2000.

LA HAINE DE LA FAMILLE, *roman* (Folio, n° 3725).

CONFESSIONS D'UNE RADINE, *roman* (Folio, n° 4053).

AMOURS TRANSVERSALES, *roman* (Folio, n° 4261).

UN BRILLANT AVENIR, *roman* (Folio, n° 5023). Prix Goncourt des lycéens 2008.

INDIGO, *roman* (Folio, n° 5740).

Aux Éditions du Mercure de France

NEW YORK, JOURNAL D'UN CYCLE, *récit* (Folio, n° 5279).

Aux Éditions Champion

LES ROMANCIERS DU PLAISIR, *essai*.

UNE ÉDUCATION CATHOLIQUE

CATHERINE CUSSET

UNE ÉDUCATION
CATHOLIQUE

roman

GALLIMARD

Tandis que je reste la bouche dans la boue
Un autre pose ses lèvres sur le ciel — c'est normal :
Mon poids dans la balance fait monter l'autre.
Si je m'enfonce encore un peu,
Il sera Dieu.

NINA CASSIAN, *Virages*

I

Petite, j'allais au catéchisme. J'y suis allée une fois par semaine jusqu'à ma communion solennelle à l'âge de douze ans et demi. Je n'en ai presque aucun souvenir. Je ne saurais même pas dire qui nous faisait le catéchisme : une femme ou un prêtre ? À l'aumônerie près de chez moi ou dans une salle au rez-de-chaussée d'un immeuble du quartier, avec des panneaux décorés de dessins d'enfants illustrant la vie de Jésus ? Je me rappelle vaguement l'entrée de l'aumônerie. Je vois des marches, une porte en bois, un jeune aumônier au visage large, aux cheveux châtains et au sourire sympathique. J'étais embarrassée quand je le croisais. Je murmurais vite « Bonjour mon père » et je baissais les yeux, les joues rouges, gênée comme si je m'étais trompée de mots. « Mon père. » Ces mots, associés à la longue robe noire qu'il portait, avaient quelque chose d'intime et d'obscène comme un sexe aperçu à travers une braguette entrouverte par inadvertance.

L'aumônerie n'était pas loin de chez nous, cinq minutes à peine. Quand j'arrivais au bout de ma rue, soit je tournais à droite vers le boulevard pour aller à la boulangerie, chez l'épicier ou à l'école ; soit je traversais et continuais tout droit, dans la rue parallèle au boulevard, pour me rendre à l'aumônerie ou chez mon amie Nathalie, qui habitait trois cents mètres plus loin. Je passais devant l'aumônerie quand j'allais chez elle. Avec le bois de Boulogne, l'église, l'école et la maison de mon amie Laurence à côté de chez nous, ce sont les lieux de mon enfance parisienne.

J'allais à la messe tous les week-ends, avec mon père et ma grande sœur, dans une église moderne sur une place ronde près du périphérique. Le samedi soir à six heures, ou le dimanche matin. Je ne rechignais pas : ça me semblait normal, même si ma mère n'y allait pas, et que je savais qu'elle n'était pas croyante. Je préférais nettement la messe du samedi soir à celle du dimanche matin. Le samedi, le prêtre au sourire sympathique jouait de la guitare. On chantait. J'adorais ça. Au moment où j'écris, une musique résonne dans ma tête et j'entends encore la foule des fidèles chanter avec enthousiasme. Moi qui ne suis pas musicienne, je me rappelle la mélodie et je peux la fredonner. J'ai oublié les paroles sauf celles du tout début, mais c'était une musique entraînante, énergique. Je m'y donnais à cœur joie. Il y était question du retour du Seigneur. La voix montait brusquement sur le mot « marcher » avant de redescendre, grave. « Il reviendra marcher par les chemins, laa-lalala-lalaa-la ! Laalalala lalaa lalalala laalalalalaaalaa laa... »

Le soir, papa nous lit un chapitre d'une bible illustrée racontée aux enfants. Je vois encore le bébé Moïse dans sa corbeille en osier flottant sur la rivière entre les roseaux, recueilli par les princesses égyptiennes. Mes

autres histoires préférées sont celle d'Abraham s'apprê-
tant à sacrifier son fils Isaac miraculeusement remplacé
par un agneau à la dernière minute, celle de Joseph
vendu par ses frères, celle de Moïse traversant la mer
dont les flots s'écartent en magnifiques convolutions
rouges sur le passage de son peuple, pour se refermer
et engloutir les soldats qui les poursuivent. Après avoir
lu une page de la bible, papa, ma sœur et moi nous age-
nouillons à côté des lits superposés, joignons nos mains
et récitons le Notre Père :

Notre Père qui êtes aux cieux,
Que votre nom soit sanctifié,
Que votre règne vienne,
Que votre volonté soit faite
Sur la terre comme au ciel.
Donnez-nous aujourd'hui notre pain de ce jour,
Pardonnez-nous nos offenses,
Comme nous pardonnons aussi à ceux qui nous ont offensés,
Et ne nous soumettez pas à la tentation,
Mais délivrez-nous du mal,
Amen.

Puis nous restons agenouillés quelques minutes de
plus et composons silencieusement une prière person-
nelle. Je le fais avec ardeur. La prière du soir : mon
seul contact quotidien doux avec papa. Quelques jours
avant Noël, il monte la crèche sur le buffet du salon. Il
achète un papier kraft imprimé de petites étoiles, qu'il
froisse pour lui donner l'aspect d'une voûte étoilée, sous
laquelle il installe les santons qui, pendant le reste de

l'année, sont rangés dans une boîte à chaussures. Le matin du 25 décembre on trouve le bébé Jésus dans son auge remplie de paille en céramique. Maman, qui de toute façon ne remarque pas les objets, ne s'aperçoit même pas qu'on a une crèche, et ne s'en soucie pas.

Il y a deux choses que, toute mon enfance, je fais avec papa : prendre l'air et aller à la messe. Pour maman, ce sont deux occasions hebdomadaires de se débarrasser de nous. Je déteste prendre l'air. Je déteste les promenades obligatoires au bois de Boulogne du samedi matin. Une fois que j'y suis, j'ai plaisir à ramasser des feuilles d'automne et des marrons et à traverser la grotte de la cascade qui me donne toujours un frisson. Mais chaque samedi, c'est pareil : j'essaie de convaincre mes parents que je n'ai pas besoin de sortir, que j'ai plein de devoirs à faire et de livres à lire, que pas un instant je ne m'ennuierai s'ils me laissent toute seule à la maison. Par contre, je ne déteste pas la messe, surtout celle du samedi soir avec le prêtre qui chante. Quarante ans après, le désir de prendre l'air est inscrit dans mon corps comme un besoin vital. Pas celui d'aller à la messe. J'ai du mal à rester assise pendant toute une messe. Je ne peux pas écouter le prêtre. Je m'ennuie.

J'étais très croyante. J'ai cru en Dieu bien plus longtemps que je n'ai cru au Père Noël. Le message du catéchisme m'atteint profondément. La nécessité d'être humble et généreuse, l'idée que les pauvres seront récompensés dans le royaume des cieux, que les derniers seront les premiers, que les malheureux deviendront bienheureux. Marie-Madeleine défendue par Jésus, «Que celui qui n'a jamais péché lui jette la première pierre».

14

Le Christ disant à Pierre qui lui promet qu'il ne le trahira pas : «Cette nuit même, avant que le coq ait chanté deux fois, tu m'auras renié trois fois.» L'idée qu'on puisse ne pas être dégoûté par la saleté, la vermine, la misère, la maladie, même aussi contagieuse et abominable que la lèpre, mais au contraire les accueillir et leur donner place; qu'on puisse désarmer la violence et le mal en leur ouvrant les bras; choisir la pauvreté, renoncer au confort et aux biens de ce monde, renoncer aux jouissances, se sacrifier. Saint François. Sainte Claire. L'idée qu'on puisse subir le martyre, être écartelé, décapité, jeté en proie aux lions ou aux flammes, et proclamer sa foi. Jésus sur la croix mettant neuf heures à mourir, Jésus assoiffé à qui le soldat tend une éponge trempée dans du vinaigre. L'hostie n'est pas, pour moi, une gaufrette ronde qu'on laisse fondre sur la langue, mais véritablement le corps de Dieu, que j'absorbe à partir de ma première communion avec gravité en sentant la sainteté me pénétrer. Le soir où mes parents se disputent violemment, où je vois couler les larmes de ma mère, où j'entends prononcer le mot de «divorce», je rêve d'être celle qui va leur rendre la paix et la joie, leur colombe divine, leur petit rayon de soleil. Le message de Dieu est, je le comprends, un message d'effacement de soi. Ce n'est pas le moment de leur rappeler mon existence autrement que par des sourires. Il faut que je sois le plus gentille possible, que je range la cuisine, que j'aide maman.

Je n'ai qu'un désir : être bonne. Par le catéchisme, on nous envoie rendre visite à des vieilles dames qui n'ont plus personne dans la vie. On doit bavarder avec elles pour qu'elles se sentent un peu moins seules. «Ma» vieille dame vit dans un appartement plein de bibelots, de napperons, de photos, d'objets de toutes sortes, beaucoup plus encombré que celui de ma grand-mère. Je ne sais vraiment pas quoi lui dire mais je m'efforce d'être mignonne, gentille, de lui raconter des petites choses de ma vie, d'oublier mon ennui et mon désir qu'elle ait au moins acheté des bonbons, de lui apporter un peu de joie.

Dans l'album de famille, la photo de moi que je préfère est celle où je pose devant l'église moderne sur la place près du périphérique, le jour de ma première communion. Vêtue de mon aube blanche louée pour l'occasion, je souris. Je tiens un grand cierge blanc. Mes cheveux blonds, lissés au sèche-cheveux, tombent sur mes épaules, fluides. C'est une des premières photos où je les ai longs. Jusqu'à mes dix ans, maman les a toujours fait couper court parce que c'est plus pratique. Je pose à côté d'un garçon de mon âge, le fils d'amis de mes parents. Mais je ne vois que moi. Je me trouve très, très jolie. Olga a raison : j'ai vraiment l'air d'un ange.

Olga, c'est la maman russe, divorcée, rousse, juive, de mon amie Nathalie. Elle me terrifie. Elle ne cesse de crier et de gronder sa fille, non parce que Nathalie ne fait pas ses devoirs et n'a pas de bonnes notes, mais parce qu'elle ne répète pas son piano tous les soirs. Pour Olga, rien n'est plus important — ce qui me semble, à moi, un étrange sens des priorités. Quand nos parents découvrent, par la trahison d'une autre petite fille, nos activités de voleuses, Nathalie et moi sommes interdites de séjour l'une chez l'autre. Interdites d'amitié. Forcées de rentrer chez nous juste après les cours. Parfois je raccompagne Nathalie jusque chez elle et m'éclipse bien vite avant que sa mère risque de m'apercevoir par la fenêtre — elles vivent au rez-de-chaussée. Pendant des mois je ne la vois pas, la mère de mon amie chez qui j'avais l'habitude de passer les fins d'après-midi. Juste avant ma première communion, sur le chemin de l'église où il y a répétition générale, je croise Olga par hasard et lui apprends l'imminence de cet événement. Elle me dit avec une amabilité qui m'étonne : «Viens nous voir en sortant de l'église, samedi, que je te voie dans ton aube.» Je le fais. Je sonne à la porte, inquiète. Si le dragon a oublié son invitation? Si elle est encore en train de hurler sur sa fille et me demande comment j'ose me présenter chez elle et passer outre à son interdiction? Mais elle me serre dans ses bras, m'étreint pour la première fois, m'embrasse, douce comme un agneau, le sourire aux lèvres :

«Que tu es jolie! Tu as l'air d'un ange!»

Je ne suis plus le démon pervers qui, pendant des mois, a incité sa fille déjà déséquilibrée par le divorce à dévaliser les supermarchés. L'habit fait le moine.

Avant Pâques et la première communion, il y a la confession générale. J'attends mon tour dans l'église avec les filles du catéchisme. J'ai dix ans et demi. Je suis horriblement angoissée. Sueurs froides. Comment puis-je communier si je ne confesse pas mon crime? Il ne s'agit plus d'un simple péché, comme l'orgueil ou la gourmandise. Avec Nathalie, depuis des mois on vole. Presque chaque jour à la sortie du collège, on traverse le boulevard et on entre à Euromarché. On cache dans les poches de nos blouses, sous nos manteaux, des gommes, des crayons, et toutes sortes de gadgets. Parfois on subtilise aussi des cartes postales à la librairie d'art un peu plus éloignée, pour composer nos propres livres sur nos peintres préférés. Et je dérobe à mon père ici et là, sans qu'il s'en rende compte, des billets de dix francs dans le portefeuille qu'il dépose chaque soir sur une console en bois à côté des toilettes. Je suis une voleuse. Je sais qu'il s'agit d'un crime. J'ai le sens du bien et du mal. Le jour où j'ai vu la mère de mon amie Laurence, à Prisunic, glisser dans son sac un paquet de mouchoirs en tissu brodé sans les payer et sortir du magasin en sifflotant joyeusement, ni vu ni connu, je me suis rappelé qu'elle avait eu, avant Laurence, deux fils morts à la naissance, et j'ai pensé que son chagrin avait dû laisser en elle une folie qui la conduisait à voler dans les magasins comme si elle avait mon âge. Je n'imaginais pas possible de révéler son crime à qui que ce soit, et surtout pas à mes parents.

Dans l'attente de la confession, je reste assise à l'écart et me ronge les ongles en me demandant comment je vais trouver le courage d'avouer. Je le dois. Ou ce n'est pas une vraie confession, et je ne serai pas digne de faire ma communion et de goûter le corps du Christ. Ce sera une mascarade, un sacrilège. Il le saura, Celui qui voit tout. Mais comment pourrai-je dire la vérité devant le prêtre ? Comment pourrai-je, ensuite, le regarder en face, l'appeler « mon père » ? Il va me mépriser. Me chasser de l'église. Autour de moi, les filles caquettent, joyeuses et pas du tout inquiètes. Quand vient mon tour, je souhaiterais m'évanouir. Je m'avance vers le prêtre avec plus de terreur qu'Abraham conduisant son fils à l'autel. Il me faut une bravoure à la hauteur de ma foi en Dieu pour que sortent de ma bouche les mots autodénonciateurs.

Je n'y arrive pas complètement. C'est impossible. Je me résigne à un compromis. Juste un aveu, celui d'un tout petit vol. Après tout, la partie vaut pour le tout. C'est l'aveu qui compte, l'aveu de l'acte. Que j'aie volé un œuf ou un bœuf, quelle différence? Les yeux baissés, les joues écarlates, je confesse :

« Mon père, j'ai volé un crayon au supermarché. »

Un crayon, quand il s'agit de trousses entières. Le ciel ne s'est pas effondré. Le prêtre ne me dévisage pas avec horreur, n'appelle pas sur moi les foudres divines, ne prévient pas la police. De sa voix douce il me demande de réciter dix fois le Notre Père, et m'absout. Je sors du confessionnal, infiniment soulagée et fière. Maintenant je peux communier dans la vérité. Même si le vol enfreint un des dix commandements, ma confession me rapproche de Dieu parce qu'elle m'a demandé un courage aussi grand que celui de saint Georges luttant contre le dragon ou de saint Antoine contre ses démons.

Nathalie, ma première grande amie, celle que j'ai choisie à dix ans, n'est pas catholique. Elle est juive non pratiquante. À onze ans, elle me parle avec mépris de son père, qui a modifié son nom de famille pour en ôter la consonance juive et le rendre plus français. Elle porte le nom originel de ce père renégat. Elle est fière de ses origines.

J'ai une autre amie, que je n'ai pas choisie, Laurence. Elle habite un pavillon avec ses parents et ses grands-parents à deux portes de chez nous, dans la même rue. À trois ans, on est dans la même classe d'école maternelle. Ma mère rencontre la sienne : comme on est voisines, un accord est passé entre les deux mères. La mienne travaille à plein temps alors que celle de Laurence ne travaille pas, et il y a en plus sa grand-mère pour s'occuper d'elle. Dorénavant, je vais chez Laurence en sortant de l'école. Tous les jours. On ne me demande pas mon avis. C'est chez Laurence, à cinq ans, que j'apprends à lire, dans la cuisine de sa grand-mère.

Laurence aussi va au catéchisme, mais ses parents ne sont pas croyants. Ils disent ouvertement qu'elle arrêtera le catéchisme, et l'église, après la communion. Je ne comprends pas comment ils peuvent en parler en ces termes, comme s'il s'agissait d'un cours de langue, d'un diplôme à obtenir. Laurence m'explique que ses parents souhaitaient qu'elle ait une éducation religieuse, c'est tout. Profiter de la religion pour donner à son enfant un enseignement gratuit? Cela me scandalise. L'idée ne me vient pas que ma mère athée n'agit pas autrement. Elle qui ne croit pas en Dieu ne s'oppose pas à l'éducation catholique de ses enfants : autant les occuper gratuitement une heure par semaine à accroître leur moralité.

Du haut de mes onze ans, je considère la communion de Laurence comme une mascarade païenne. C'est une immense fête, et chacun des invités lui apporte un cadeau. Les paquets colorés, promesses de mille merveilles et d'un déluge de consommation, couvrent plusieurs tables dans le salon du pavillon. Laurence est enchantée. Faire sa communion pour recevoir des cadeaux? C'est n'avoir rien compris au message de Dieu. Elle ne me semble pas digne de porter son aube blanche qui n'est, pour elle et ses parents, qu'un déguisement, un simple costume de fête.

Je crois en Dieu. Après la première communion, je continue d'aller au catéchisme alors que ce n'est plus

20

obligatoire et que je suis très occupée maintenant que je suis au collège. Je décide de faire ma communion solennelle : pas, comme mes camarades de l'aumônerie, l'année suivant la première communion. J'attendrai une autre année pour être sûre d'acquérir la maturité nécessaire. Il ne s'agit pas d'une petite affaire. Je sens que l'événement va marquer ma transformation en un être meilleur. Pour préparer la cérémonie, on part en retraite à la campagne, dans une vaste résidence où chacune de nous a sa propre chambre. Il y a un parc où l'on doit se promener, seule, afin de rentrer en soi, de converser avec Dieu, et de réfléchir au message qu'on énoncera publiquement le jour de la communion. Le soir, pendant la veillée, j'entends dire qu'une des filles a eu une apparition pendant sa promenade solitaire : elle a vu la Vierge Marie. Les autres sont impressionnées. Je reste sceptique. Ma religion n'est pas de l'ordre du fantastique, du magique, du surréel, mais du devoir intérieur. Cette fille avec sa vision me paraît une faible d'esprit. Pendant mes heures de retraite, je me suis préparée exactement comme Dieu le demande. Je suis descendue en moi, et j'ai compris que je devais faire ce qui était, pour moi, le plus difficile : cesser de haïr ma sœur. Cela relève presque de l'impossible, car ma détestable sœur me force à la haïr. C'est aller contre ce qu'il y a en moi de plus instinctif et de plus fort.

II

Ma sœur a trois ans et demi de plus que moi. Nous n'avons jamais joué ensemble. Nous sommes diamétralement opposées. J'aime les poupées, les Barbie, les jeux de société, les activités artistiques, la lecture. Ma sœur est un garçon manqué, douée dans tous les sports. Elle fait du patin à roulettes, du vélo, du ski, de l'escalade, du voilier, des randonnées. Elle est courageuse, dégourdie, hardie. Je suis une trouillarde. Un ami de nos parents nous surnomme «Anndure et Marmolle». J'ai peur de tout, des abeilles, des mouches, du noir, du ski, des allumettes. Je gémis de terreur dès qu'un chien s'approche et me renifle. Je me tétanise s'il aboie. Je refuse s'apprendre à faire du vélo sans petites roues parce que je suis tombée une fois. Je refuse tout ce que mon père veut m'apprendre, au jardin du Pré Catelan où il nous emmène.

«Ça y est, elle va chialer», dit papa d'un ton exaspéré en voyant frémir mes narines.

Je chiale. Il est beaucoup plus proche de ma sœur, qui n'est pas ridicule et butée comme sa fille cadette, recroquevillée de peur sur son muret d'un mètre, à qui il crie en vain :

«Saute! Mais saute! Saute, bordel! SAUTE!»

Plus il hurle, moins je saute.

Je sais faire enrager ma sœur. Une des choses dont elle a le plus horreur, c'est de se retrouver habillée comme moi, deux petites filles modèles. Notre grand-mère maternelle ne cesse de nous acheter des tenues semblables, robes chasubles écossaises, robes en velours rouge pour Noël, kilts, chemisiers à col rond brodé de cerises. Le dimanche, quand on va déjeuner chez grand-maman, j'attends que ma sœur choisisse ses vêtements, puis je m'habille pareil. Furieuse, elle se change. Je me change aussitôt. Elle me couvre d'insultes. Sûre de mon bon droit puisque grand-maman aime nous voir revêtues des mêmes habits, je vais me plaindre à maman :

«Anne ne veut pas qu'on s'habille pareil!»

Ma sœur aussi sait me faire enrager. Un soir où mes parents s'emportent parce que je n'arrive pas à avaler ma soupe pleine de fils de poireaux, elle dit avec une autorité teintée de mépris :

«Vous devriez la mettre aux scouts. Ça lui ferait du bien.»

Je la hais. Profiter de l'irritation de nos parents, de mes larmes, de ma faiblesse, pour me condamner à ce que je déteste le plus! Le scoutisme. J'ai réussi à y échapper. Je ne sais même pas qu'il existe un lien entre le catholicisme et le scoutisme. Ma religion à moi est intérieure. Une religion d'appartement : lire la Bible, dessiner Jésus et Marie, inventer des prières, rendre visite à de vieilles dames. Le dépassement de soi, la victoire sur soi, je ne les imagine pas du côté du corps. Seule me paraît belle la lutte intérieure. Ma sœur n'est pas religieuse pour un sou, même si elle a fait ses deux communions. Par contre, elle est scoute depuis ses plus tendres années. Elle a franchi tous les degrés. Est devenue cheftaine. Tous les dimanches, pour mon bonheur, elle n'est pas là : elle passe la journée aux scouts, trop heureuse, elle aussi, de fuir la famille et moi. Parfois elle part le week-end entier. Joie. Me retrouver seule dans notre chambre commune. Je fouille ses tiroirs, je lui vole de précieux crayons que je cache entre mes pulls, juste pour l'embêter puisque je ne pourrai pas m'en servir. Le scoutisme. Sans doute aurais-je aimé les veillées autour du feu de camp et les chants accompagnés à la guitare. J'ai cette âme scoute là. J'envie à ma sœur ses fortes amitiés, sa guitare, le sourire de son amie Sylvie à la voix harmonieuse, Georges Brassens et les Beatles.

Mais le reste. Passer la journée dehors, dans les bois. Marcher, grimper, courir, escalader, monter sa tente, dormir sur le sol dur avec les insectes, tout cela sans rien révéler de ma poltronnerie, car je risquerais d'y gagner le mépris de tous. Être la moins forte dans tout, l'objet de risée. Je peux facilement l'imaginer. J'en ai un avant-goût, moi qui, au cours de gymnastique au collège, suis celle qu'on cite en contre-exemple, incapable de monter à la corde à nœuds, incapable de sauter par-dessus le cheval. « Marie, viens nous montrer ce qu'il ne faut pas faire. » Je suis allée en colonie de vacances. Souvenir d'humiliation, cauchemar. Toujours la moins dégourdie, la pleurnicheuse, la trouillarde. Tout ce que j'aime, moi, c'est rester à la maison. Je ne demande rien à personne. Je lis, j'écris, je colorie, je découpe, je me déguise en princesse. Je peux passer la journée à jouer seule. Jouer avec une amie, avec Nathalie, c'est parfait. Avec deux amies, c'est déjà trop. Je n'ai pas l'esprit de groupe. Et l'on me menace du scoutisme. Elle me menace, la salope, celle que je déteste le plus au monde. Mon père hoche la tête, sensible aux arguments de ma sœur, d'accord avec elle : ça me ferait du bien d'être un peu traitée à la dure. Je pleure. Ma mère, heureusement, se fait mon avocat. Elle me comprend. Elle a été éclaireuse autrefois. Pas longtemps sans doute. Elle aussi a horreur du scoutisme, des activités sportives, des groupes et de la nature. Que je veuille rester à la maison pour y lire et y jouer seule lui paraît très sain. Avant de rencontrer mon père, elle ne pratiquait aucun sport. C'est lui qui l'a initiée aux longues marches, à la course, au tennis. Je suis la fille de ma mère, et ma sœur est la fille de mon père.

Comme je la hais, ma sœur ! C'est le sentiment le plus fort de mon enfance. Je ne peux l'éviter : nous partageons la même chambre jusqu'à mes quatorze ans, une pièce carrée avec des lits superposés en bois sombre dont elle occupe celui du haut. Les mêmes meubles des deux côtés de la chambre, dans le même bois : armoire, commode à trois tiroirs et, entre les deux, la petite planche qui nous sert de bureau. Je n'ai pas de respect pour ma sœur. Je me sens supérieure à elle pour tout ce qui compte, sur une échelle de valeurs qui est celle de ma mère. Pas pour le sport, mais qu'importe. Je n'ai qu'un désir : qu'elle ne soit pas là. Qu'elle disparaisse. Je n'ai pas un seul bon souvenir avec elle, pas un rire partagé, pas une complicité. Juste son mépris écrasant, son indifférence. Son intérêt s'éveillant seulement quand elle a neuf ans, le jour où elle entend nos parents dire qu'il va falloir me mettre dans une école privée si l'école publique ne me laisse pas sauter une classe alors que je sais déjà lire.

« Privée de quoi ? » demande-t-elle aussitôt.

Qu'on prive sa cadette de quelque chose, voilà qui lui plaît. L'anecdote sera rapportée en riant pendant des années. C'est la seule mention qu'on fera jamais de l'école privée dans notre famille. J'ignore qu'on l'appelle aussi « l'école libre ». En fin de compte je n'y suis pas allée : à l'école publique on m'a laissée sauter le CP. L'école religieuse, Saint quelque chose, les sœurs ? Il n'en a plus été question. Les valeurs de mes parents sont laïques et républicaines. J'ai longtemps cru qu'on allait dans des cours privés quand on n'était pas assez bon élève pour l'école publique.

Ma sœur et moi. Elle est avec ses amies du scoutisme dans notre chambre. J'entre. Je sens l'odeur de la cigarette. Je sors de la pièce, je vais voir maman.

« Maman, ça sent pas bon dans la chambre. »

La seconde d'après notre mère fait irruption, ouvre grand la fenêtre, gronde ma sœur, disperse la joyeuse assemblée.

« Connasse, me dit ma sœur. Tu perds rien pour attendre. »

Nos parents sont sortis. Nous sommes seules et gardons notre petit frère. Je ne sais plus comment commence la dispute. La mauvaise foi et l'autorité de ma sœur, qu'elle assoit par la force, me mettent en rage. Dans une poussée d'adrénaline, je m'empare du carnet à spirale où elle a passé des heures à recopier son vocabulaire d'allemand.

Il est ouvert. Je l'ai saisi par une page, si brusquement qu'elle s'arrache. Ma sœur devient folle. Elle ramasse une chaussure de tennis et me frappe. Je suis blottie dans un coin de la chambre, derrière la porte. Je protège mon visage avec mon bras. Je hurle comme un cochon qu'on égorge. Je tombe par terre. Elle tape toujours. On entend le coup frappé avec un balai au plafond de l'étage au-dessous. Elle arrête. Je suspends mes cris. Je ne bouge pas.

« Tu m'as cassé le bras ! » dis-je en pleurant.

Ma sœur n'a pas l'air inquiète. Elle sait que je pleure toujours beaucoup plus que je n'ai mal. Je me réfugie dans la salle de bains, je mets le rouge à lèvres de maman et je couvre une feuille de baisers rouges autour desquels j'écris : « Maman je t'aime. » Le lendemain la voisine demande à notre mère si elle a essayé de tuer ses filles la veille au soir. C'est ce jour-là peut-être, alors qu'on attend l'ascenseur en rentrant de l'école et que maman me questionne pour savoir ce qui s'est passé, que je tente de la rallier définitivement à mon camp.

« Je hais Anne, maman. Toi aussi tu la hais, hein ? »

Il me semble évident qu'elle va me répondre oui. Ma mère et moi sommes unies par une intimité qui reste inaccessible à ma sœur : elle ne peut pas me trahir. À ma surprise, elle résiste.

« Ce n'est pas ce que tu penses », me répond-elle de cette voix modérée, réfléchie et grave, sa voix de juge, qu'elle utilise seulement dans les occasions sérieuses, comme le jour où elle m'a convoquée dans sa chambre parce qu'elle avait reçu le coup de fil de la mère de Nathalie lui apprenant que j'étais une voleuse. « Haïr est un mot trop fort. Tu parles dans la colère. En vérité, tu ne hais pas ta sœur. Tu l'aimes. Et moi, bien sûr que j'aime ta sœur. »

Elle a beau dire : je suis sûre que ce n'est pas vrai. Son mensonge me déçoit. Ma mère est donc plus lâche que je ne pensais.

Pour ma communion solennelle, je rédige un message qui m'a terriblement coûté. Je promets à Dieu que, dorénavant, je ne haïrai plus ma sœur. Quand je l'ai lu devant l'assemblée, j'ai tremblé. Par rapport aux professions des autres enfants, la mienne me paraît la seule vraie. Je n'y déclare rien d'immense. Juste la promesse d'un effort dont je suis particulièrement fière à cause de la difficulté à le réaliser. Je me sens comme une sainte. Pour une telle honnêteté, une lutte si pure et courageuse contre mes pires instincts, Dieu ne peut que me choisir. Il y a cela aussi, en moi : l'esprit de compétition. Le désir d'être la meilleure, même en sainteté.

Pas de grande fête. Un simple dîner chez nous, avec ma marraine et mon parrain, et un couple d'amis proches. Mon cadeau, c'est une médaille. Pas une médaille à l'effigie de Jésus ou de Marie, comme la petite médaille de baptême en or que je porte autour du cou. Une large médaille en argent représentant le profil en relief d'un dieu grec, Apollon ou Zeus, en l'honneur du grec ancien que j'ai commencé à apprendre cette année-là, en quatrième, et qui vient sans doute de la boutique du musée du Louvre. Le bijou, moderne, me semble d'une beauté sans pareille. Je ne me lasse pas de le contempler. Mon parrain m'offre un stylo à plume en argent, orné de lignes en relief qui le rendent aussi brillant qu'un diamant, avec une plume en or. Je n'ai jamais eu de stylo si beau, et dont la plume glisse si bien sur le papier à carreaux de mes cahiers Clairefontaine. Sans que je m'en aperçoive, ma communion solennelle me fait doucement basculer dans une autre religion.

Mais peut-être ce basculement a-t-il déjà commencé, il y a longtemps, à la naissance, par le choix même de mes parrain et marraine. Ma mère ne s'est pas opposée au baptême. Elle ne croit pas en Dieu, mais elle sait que la religion catholique est très importante pour son mari, qui, jeune homme, a pensé à se faire prêtre, et qui est resté vierge jusqu'à son mariage à l'âge de vingt-sept ans, par timidité sans doute, mais aussi parce qu'il était habité par une idée de pureté. Quand ils se sont rencontrés, il a tenté de la convertir. Pour complaire à son fiancé parti en Algérie, elle est allée voir un prêtre, avec qui elle a longuement discuté. En vain. Elle écrit au fiancé absent, avec une tristesse teintée d'ironie, qu'il devra se résigner à épouser une mécréante. Mais elle sait aussi que le baptême peut se révéler utile dans la vie, quand on est née de mère juive. Elle-même a été baptisée d'urgence en 1943, juste après le passage des miliciens français venus les arrêter et à qui la mère a certifié sur l'honneur que ses deux petites étaient baptisées, deux petites Françaises catholiques qu'il ferait bon voir déporter ! Le baptême ne peut pas nuire. Et c'est l'occasion d'une fête. Ma mère aime les fêtes.

Mon parrain et ma marraine, elle les choisit. La marraine, c'est l'amie avocate rencontrée au Palais, la célibataire sans famille, sans religion, fille naturelle d'une Roumaine juive et d'un Anglais marié. Le parrain est un ami de sa mère. Un vieux monsieur. Ma mère a pour lui du respect, de l'admiration. De lui je ne sais qu'une chose : il est poète. J'ignore encore aujourd'hui quel métier il exerçait pour gagner sa vie. Il n'était pas pauvre : il vivait dans un bel appartement bourgeois donnant sur le jardin du Luxembourg. Je vois peu ce parrain, à peine une fois par an, mais j'ai chaque fois conscience du caractère exceptionnel de la rencontre et de l'honneur qu'il me fait. Il vient me chercher, m'emmène dans Paris visiter un musée, une église où il me montre une œuvre d'Eugène Delacroix. Je hoche la tête, intimidée, petite fille sage et attentive. Un jour il m'offre un livre, *La princesse aux cheveux rouges*, un conte écrit par lui, imprimé en un nombre d'exemplaires limité et relié de cuir rouge foncé. Je me sens terriblement honorée de ce don et de la dédicace manuscrite qui s'adresse à moi. Je suis ébahie qu'un homme que je connais, qui est mon parrain, dans la voiture de qui je monte, à côté de qui je marche dans la rue, ait su inventer une histoire qui me captive, celle d'une princesse, fille d'un roi chasseur, que son père abandonne dans les bois à sa naissance parce qu'elle a les cheveux couleur de sang frais, de ce sang des bêtes qu'il tue. À la fin du livre, au cours d'une chasse le roi âgé blesse une biche. Au moment de l'achever, il est ébranlé par son regard suppliant. Il ne la tue pas. La biche, bien sûr, est sa fille, qui sort de l'enchantement pour redevenir une ravissante princesse avec des cheveux qui ne sont plus rouge sang.

C'est ce parrainage que me donne ma mère, celui de l'imaginaire et de l'écrit. Par le choix de ce parrain, elle me transmet à sa façon son scepticisme, son athéisme primaire, sa conviction qu'il n'y a rien de plus beau que d'écrire un livre — et rien de plus stupide que la foi du charbonnier. Sans doute l'ai-je su alors même que je me pensais croyante. Sans doute l'ai-je su depuis le jour où je traînais les pieds pour aller à la messe un dimanche matin, n'ayant aucune envie de me lever du canapé où je lisais un roman et d'enfiler mon manteau. Papa s'énervait de ma lenteur et commençait à crier, quand maman n'a pu s'empêcher d'intervenir :

«Remarque, je la comprends. C'est plus amusant de lire un roman que d'aller à la messe.»

Papa, furieux, se retourne contre maman et l'accuse de saper les fondements de ma foi. Elle rétorque qu'elle n'a rien dit de mal, que de toute façon chacun est libre de penser comme il veut, et que je suis bien capable de juger par moi-même ce qui, de la lecture d'un roman ou de la messe, est le plus amusant.

«Elle n'a qu'à rester à la maison! hurle papa. Puisque c'est comme ça, j'irai seul!»

Vite je ferme mon livre, je me lève, je mets mon manteau, je suis papa. Le mal est fait. Un double mal. Il a suffi que maman formule l'idée que la messe était ennuyeuse pour que je prenne conscience que cette idée était possible — donc légitime et vraie. Et, de ce moment-là, je suis allée à la messe pour ne pas faire de peine à papa — pour qu'il ne se rende pas compte que, dans le conflit permanent qui l'opposait à maman, c'était lui le faible, malgré l'éclat de sa voix. Je ne le sais pas encore, mais le Dieu de papa, le Dieu de mon enfance, ce jour-là a perdu sa grandeur. Il est devenu le Dieu de la faiblesse, de la voix qui gronde et tonne pour masquer son impuissance, son incapacité à se faire entendre et à convaincre des mécréantes comme maman et moi qui cédons par compassion ou fatigue, mais gardons notre pensée libre. J'ai compris, ce jour-là, que le croyant avait besoin de la protection d'un dieu parce qu'il était fragile.

III

À côté de la haine de ma sœur, les sentiments qui habitent mon enfance sont la honte et la culpabilité. Honte de moi, pas seulement de ma trouillardise, mais aussi de mes petites vilenies, ma gourmandise, mon égoïsme. La vanité aussi, celle d'écrire bien, d'être en avance dans mes lectures, bonne en français. La honte de ma vanité. Quand j'ai quatre ans, en moyenne section de l'école maternelle, la maîtresse demande à la classe rassemblée de citer des mots avec le son « ou ». Je suis la première à lever la main, si désireuse d'être applaudie, si fière de moi que je n'ai pas de mal, pour une fois, à vaincre ma timidité.

« Marie ?

— Grouillère ! »

Je ne sais même plus si la maîtresse a ri. Sans doute pas. Mais la honte cuit encore mes joues.

« Non. C'est gruyère avec un "u", pas grouillère. »

Elle est passée à une autre main levée et j'ai baissé les yeux, écarlate, les tempes bourdonnantes, aussi honteuse que si je venais de commettre la pire des bourdes. On ne me demandait rien et c'était moi, de moi-même, poussée par le désir de me mettre en avant, qui m'étais livrée au ridicule.

C'est cela que m'apprend la religion catholique : qu'il n'est pas bien d'être trop content de soi, qu'on est toujours puni, que la vanité, signe d'un vide de l'âme, finit toujours par se retourner contre soi en exposant ce vide à autrui. En sixième, j'ai pour sujet de rédaction : l'amitié. Il m'inspire, ce sujet. Un flot de mots s'écoule de moi presque sans que j'y pense. Rien d'inventé. Je raconte mes deux amitiés, celle qui m'a été imposée, celle que j'ai choisie : Laurence et Nathalie. Je les oppose en tout. J'y critique Laurence, son univers de petite fille gâtée. J'y décris et condamne toutes les mesquineries qui me choquent dans sa famille depuis des années : le chocolat donné avec parcimonie pour le goûter, deux carrés et pas plus (chez moi, on n'en donne pas du tout) ; l'interdiction de jouer librement dans sa chambre avec ses jouets, de peur qu'on dérange ; ses deux chambres, une pour dormir et l'autre pour jouer, alors que j'en ai une seule que je partage avec ma sœur, et ses dizaines de Barbie, d'habits et de chaussures de Barbie, ses maisons de Barbie et ses voitures de Barbie, alors que j'ai à peine une ou deux Barbie, mais qu'importe puisque je ne peux pas jouer librement chez elle où tout plaisir, donc, est banni. À sa maniaquerie et son égoïsme j'oppose la liberté totale de Nathalie et la passion qui nous unit, celle d'inventer des histoires, de fabriquer des livres, de faire ensemble tout ce que nous voulons, et dont le désir nous vient en même temps. La vraie amie, écris-je, c'est celle qu'on a choisie, celle avec qui on partage les mêmes goûts.

Elle devait être bonne, ma rédaction : sensible, et convaincante. J'ai obtenu dix sur dix. Le professeur de français m'a félicitée publiquement. Je ne suis pas mécontente. Ce jour-là, entre deux cours, je travaille à la bibliothèque, quand Laurence se glisse près de moi.

«Je pourrais voir ta rédaction, Marie?»

Sans réfléchir, fière de ma note et de mon travail, désireuse de l'impressionner, je lui remets mes six pages quadrillées. Elle lit, assise à côté de moi. Qu'est-ce qui m'alerte, alors que je suis concentrée sur mon propre travail? L'imperceptible raidissement de son dos? Le contenu de la rédaction qu'elle est en train de lire me revient soudain. Il est trop tard pour reprendre mes feuilles. Je transpire. Quand elle me rend mon devoir, son regard me fuit. Sa peau mate a pâli. Je me rends compte que mes mots lui ont enfoncé un poignard dans le dos.

« C'est bien écrit», dit-elle, l'air faux.

Tout aussi gênée, je réponds avec un faible sourire :

« Ce n'est pas toi, tu sais! Je me suis juste inspirée, j'ai pris des détails.»

Elle ne répond pas. Elle a un petit sourire crispé. Il n'y a rien à dire. Ma rédaction crie la vérité, et les détails ne trompent pas. C'est Laurence, sa mère, sa grand-mère, son caniche, sa maison, cette maison qui m'a accueillie sept années de suite, de mes trois ans à mes dix ans, la plus grande partie de ma vie, comme une deuxième fille, et dont je dis tout le mal possible. Laurence vient de lire que je ne l'aime pas, et que j'aime Nathalie. Elle la connaît, Nathalie : nous étions toutes les trois dans la même classe l'an dernier, en CM2, à l'école primaire près du périphérique, où j'ai rencontré Nathalie ; nous sommes passées toutes les trois dans la même classe de sixième au collège. Je ne pouvais pas blesser davantage Laurence qu'en lui montrant ce texte où elle découvre mon regard qui l'espionne, la trahit, la juge et la condamne, elle et sa famille. Elle a beau faire semblant de croire qu'il s'agit d'une fiction, on aura beau faire semblant de rester amies : c'est fini. C'est irréparable.

Je suis horrifiée par ma gaffe, mon manque de délicatesse. Je n'oublierai jamais le moment où, assise à la table de la bibliothèque, j'ai senti Laurence se décomposer près de moi en lisant mes mots. Je hais la vanité qui m'a poussée à oublier le contenu de ma rédaction et la donner à lire à ma victime alors qu'il eût été si facile de dire que je préférais ne pas la montrer. Haïssable, ce moi qui se met en avant aux dépens de l'autre, qui l'escalade et l'écrase pour se hisser plus haut.

IV

Avec Nathalie l'amitié, passionnée, a duré presque trois ans. Puis quelque chose s'est passé. Elle est exigeante, Nathalie. Rigoureuse. C'est elle qui institue, alors qu'on a douze ans, un contrat de vérité entre nous : dire à l'autre ce qui nous déplaît chez elle, afin de lui permettre de progresser et d'améliorer la relation. Nathalie a plein de reproches à m'adresser. Elle me trouve mesquine ; quand je m'achète un pain au chocolat à la boulangerie à la sortie du collège, je ne le partage pas. Quand on a une interrogation en classe, je prétends avoir tout raté, je me fais plaindre et, comme par hasard, je me retrouve avec la meilleure note : je suis une hypocrite. Elle me compare avec Laurence, dont elle s'est étrangement rapprochée sans que je m'y attende puisque je lui avais sans doute dit du mal d'elle, et la comparaison n'est pas à mon avantage. Laurence n'est peut-être pas aussi imaginative que moi, ce n'est pas avec elle que Nathalie pourrait voler des cartes postales et composer des livres d'art, mais au moins Laurence est gentille, généreuse, honnête et loyale. Quand elle sort de cours une heure avant Nathalie, elle l'attend, à la bibliothèque ou ailleurs, alors que je rentre le plus vite possible chez moi pour faire mes devoirs et prendre de l'avance.

Nathalie m'accuse d'ignorer ce qu'est la vraie amitié, et d'utiliser mes amies seulement comme des «bouche-trous». Pas un seul de mes défauts ne lui échappe. Son œil perçant me démasque. Elle me renvoie une image de moi détestable. Je me révolte contre son jugement. Il y a plein de choses qui me déplaisent chez elle, à commencer par sa certitude de dire vrai et d'être, de nous deux, la meilleure, mais je n'arrive pas à les énoncer. Dès que je formule une critique, le ressentiment semble parler par ma bouche. J'ai toujours tort. Elle a toujours raison. Je finis par me taire, et je n'en pense pas moins. Je suis terriblement malheureuse. Notre amitié tourne à l'aigre, empoisonnée par ce contrat de vérité, par ce regard sans pitié que nous posons l'une sur l'autre.

Un après-midi l'explosion a lieu. Nous rentrons chez nous par le même chemin à la sortie des cours. Nathalie me fait sans doute un nouveau reproche. Peut-être ai-je sur les lèvres un petit sourire. Nathalie m'accuse d'avoir sur les lèvres un petit sourire, de faire de l'ironie, de me croire supérieure.

«Et toi tu es une sainte», dis-je avec exaspération.

Son bras se déploie. Elle me gifle. C'est la première fois de ma vie qu'on me gifle. Je suis stupéfaite. Stupéfaite de sa violence, stupéfaite d'avoir réussi à provoquer sa rage par une simple phrase, la première depuis des semaines que je contiens mes pensées. Je ne sais pas comment réagir. Je suis dépassée par la situation. Pleine de haine pour elle qui m'accuse et me frappe, pleine de haine pour moi, horriblement triste aussi. Aussitôt me vient la pensée : l'autre joue. C'est quelque chose que j'ai appris au catéchisme. C'est Jésus qui l'a dit. Ne pas répondre à la violence par la violence. Tendre l'autre joue, c'est la seule façon de désarmer la violence. Le moment est venu de mettre en application ce principe. Mais peut-être est-ce aussi par colère que je le fais, peut-être est-ce la façon la plus efficace de crier à Nathalie ma haine en me plaçant du bon côté, celui des justes. N'est-ce pas là que je me situe depuis qu'elle a commencé à me critiquer, moi qui ne l'accuse de rien ? *Que celui qui n'a jamais péché lui jette la première pierre.* Oui, même sans le formuler je me sais du côté des saints, de ceux qui endurent toutes les souffrances pour leur religion, qui se font crucifier, déchiqueter, écorcher, attacher sur une roue et arracher les membres, sans qu'une plainte s'échappe de leurs lèvres. Je me tourne.

« Frappe l'autre, pendant que tu y es. »

La rage bout dans ses yeux.

« Cesse de faire la martyre ! » hurle-t-elle.

Elle m'agrippe par mon manteau, nous tombons sur le trottoir, nous roulons à terre, nous nous griffons, nous nous arrachons les cheveux.

C'est la fin de notre amitié. En classe, le lendemain, nous nous asseyons loin l'une de l'autre et ne nous parlons plus. Nous ne nous reparlerons jamais.

Quelques mois plus tard je reçois de Nathalie une longue lettre, huit pages doubles quadrillées écrites de son écriture ferme. Elle y dresse mon procès et celui de ma famille, comme j'ai dressé dans ma rédaction celui de Laurence. Elle y décrit mon égoïsme et mon narcissisme en des termes stupéfiants de force et d'intelligence pour une fille de douze ans et demi. Elle met en cause ma mère, qu'elle accuse de radinerie, de favoritisme et de maltraitance envers sa fille aînée. Cette lettre contient un jugement d'une telle violence que je ne peux pas l'affronter seule. Je la montre à mes parents. J'ai besoin de leurs réactions indignées, de leur rire, de leur soutien. Besoin de me blinder contre le regard impitoyable et juste de ce Dieu de colère qui jette l'anathème sur moi. Ce monstre de narcissisme qui se croit supérieur à l'autre, c'est moi. Ma radinerie, ma superficialité, ma vanité, mon esprit de compétition : Nathalie a tout vu. Cette mère égocentrique qui, telle une marâtre de conte de fées, traite une de ses filles mieux que l'autre, qui refuse de nous acheter un jean et me déguise en petite poupée ridicule en m'affublant d'habits Ted Lapidus qu'elle ne met plus, c'est la mienne.

La violence avec laquelle Nathalie attaque, non seulement moi, mais ma famille, ma mère que j'aime, me protège. Une lettre qui respire la colère et le désir de vengeance n'a pas l'autorité d'une parole divine. Par mon père, j'ai appris à connaître le Dieu de colère : je sais qu'il cache sa faiblesse sous son tonnerre. Je devine que le vrai crime dont Nathalie m'accuse, c'est de ne plus l'aimer. Ou plutôt, car je l'aime, c'est d'avoir trahi les lois de l'amitié, de ne pas m'être entièrement soumise à elle, d'avoir gardé ma liberté de pensée.

Je ris avec mes parents. Je me scandalise avec eux. Des mois plus tard, quand ils se mettent à recevoir des corbeilles de fleurs et des caisses d'épicerie fine qu'ils n'ont jamais commandées et qu'ils doivent payer, je reconnais une blague signée Nathalie. Nous l'avons beaucoup pratiquée, pour rire et nous venger de gens que nous n'aimions pas, du temps où nous étions amies. Et je comprends qu'elle ne peut pas m'oublier.

En attendant elle sait me faire souffrir. En classe elle m'agresse à coups de sarcasmes et d'insultes. Nathalie est beaucoup moins timide que moi et très populaire. Depuis notre rupture, elle a monté un groupe de filles contre moi. Elles se font un jeu de m'attaquer. Chaque soir je rentre à la maison en pleurant. Je supplie maman de me changer de collège. Un après-midi, au stade, la bande des amies de Nathalie s'approche de moi.

« Tu pues. T'es sale. Tu te laves pas. Y a des fourmis dans tes culottes ! »

Cinq ou six filles de treize ans ricanent en exposant à voix haute les détails de mon intimité que leur a livrés Nathalie. Oui, c'est vrai, je ne me lave guère. Et c'est vrai qu'un matin, en m'habillant, j'ai trouvé une fourmilière installée dans ma petite culotte pleine de pertes blanches. Vision d'horreur, qui m'a convaincue de mettre dans la corbeille, dorénavant, mes culottes sales. Nathalie est la seule au monde à savoir cela. Les filles rient. Me couvrent de quolibets. Je suis écarlate. Je m'efforce de ne pas éclater en sanglots devant elles. Soudain une voix forte, presque masculine, retentit derrière moi. Quelqu'un s'est approché. Une autre fille de ma classe, Ximena. D'une voix claironnante elle prend à partie le groupe de harpies. Elle les apostrophe, le menton levé, l'œil brillant de colère. En trois phrases elle les réduit en charpie. Sans même bouger, pas plus grande qu'elles, Ximena, qui a douze ans et demi comme Nathalie et moi parce qu'elle aussi a un an d'avance, me prend sous sa protection, tel un champion du Moyen Âge. Pour la première fois depuis la rupture avec Nathalie, ce soir-là je rentre chez moi sans pleurer.

Que leur dit-elle ? J'ai oublié. Je suis abasourdie par son absence de peur, son esprit de repartie et la fermeté de sa voix. Un contre tous. La bande de filles ne sait plus que dire. Ximena les a ridiculisées. Leur a prouvé qu'elles étaient non seulement lâches mais stupides. Elle s'éloigne avec moi et passe son bras autour de mes épaules.

« Ne te laisse pas faire. »

V

Ximena. Lors du passage en quatrième, une fille nous a prévenues, Nathalie et moi, qu'il y aurait dans notre classe une folle qui s'appelait Ximena. « Vous verrez, elle étrangle les gens pour jouer. » Le jour de la rentrée, je la regarde à distance avec une certaine inquiétude : l'étrangeté m'a toujours fait peur. Pourtant, elle n'a pas l'air bien dangereuse, cette fille aux cheveux frisés noirs qui, au lieu de se mêler aux petits groupes de filles se retrouvant après les grandes vacances, reste à l'écart et lit, appuyée contre le mur de la classe, vêtue d'une grosse veste grecque et d'une chemise en patchwork, indifférente au bruit qui l'entoure. Elle tient entre ses mains un volume dont je reconnais le format et la tranche rayée de fines lignes dorées. Mon père en a dans sa bibliothèque. Ce sont ceux que je n'ai pas le droit de toucher parce qu'ils sont fragiles et coûtent cher : un Pléiade. Je m'approche et lui demande timidement :
« Tu lis quoi ?
— Shakespeare », répond-elle sans lever le nez de son livre.
Nous commençons toutes les deux le grec. Nous

sommes les deux grandes lectrices de la classe. «Il y a une autre fille qui dévore les livres, comme vous : Ximena Rodriguez», m'a dit un jour la bibliothécaire du collège, dont je suis la chouchoute. Mais nous ne nous adressons guère la parole, jusqu'à ce jour où je lui demande si je peux m'asseoir à côté d'elle pendant une interrogation de physique. Après la scène du stade, sans doute. J'ai entendu dire qu'elle laissait ses voisines copier sur elle en leur montrant discrètement son devoir. Elle est bonne en physique, comme en tout. Je copie. Sa générosité m'épate. Ensuite nous sommes toujours assises côte à côte.

Ximena entre dans ma vie. Dieu en sort. Ximena n'a aucune religion, aucune éducation religieuse, et tournerait en dérision ma foi comme un signe de naïveté et de stupidité. Pour elle, il n'y a pas de martyre qui vaille. Il n'est pas question de tendre l'autre joue ni de gifler quiconque. Mieux vaut savoir se défendre, vigoureusement, par le verbe, et réduire l'adversaire en bouillie mentale. Ximena s'inscrit dans la tradition des grands rhéteurs socratiques. Elle s'intéresse aux dieux, mais il faut qu'ils soient grecs : elle aime leurs histoires, leurs beuveries, leurs coucheries, leurs incestes. Elle s'intéresse aux églises, passionnément, mais seulement pour leur architecture. Le roman, le gothique, le baroque : c'est d'elle que j'entendrai ces termes pour la première fois.

Je viens juste d'avoir treize ans. Il y a un mois j'ai fait ma communion solennelle. Et déjà je ne crois plus en Dieu. Six mois plus tôt, je ne concevais pas une telle hypocrisie. Comment pouvait-on croire en Dieu jusqu'à onze ou douze ans et s'arrêter net, comme si ce n'était plus une activité de son âge ? Ma foi à moi tiendrait bon. Je me différencierais par sa profondeur et sa longévité. Mais non. Je fais pareil. D'un jour à l'autre, à la fin de la quatrième, j'arrête l'aumônerie, la messe, la confession, la communion, toute cette charlatanerie. De Dieu il n'est plus question. Je ne vais plus à l'église. Je ne comprends même plus comment il est possible de croire. Le germe de mécréance était déjà en moi, déposé par le scepticisme radical de ma mère : ce scepticisme s'est imposé comme une évidence, vainquant à jamais la foi de mon père.

Il y a dans le catholicisme de mon père quelque chose de naïf, dont je me méfie désormais. Il semble trop facile de se dédouaner de ses erreurs humaines en s'asseyant une fois par semaine sur le banc d'une église pour prier Dieu avec humilité. Puis on rentre à la maison et on crie parce qu'il y a de la poussière sous le meuble de l'entrée. On insulte la femme de ménage portugaise, cette idiote qui n'a toujours pas compris comment marchait un aspirateur. La vie est séparée en deux : la vraie vie d'un côté, le quotidien avec ses colères et ses cris, et la foi de l'autre, l'église où l'on va se faire absoudre. Ma mère juive et athée ne cherche pas l'absolution dans une institution. Elle ne sépare pas la vie de la foi. Son individualisme ne s'accommode pas de rituels. C'est elle, pour moi, la vraie chrétienne. Son âme est à l'écoute de la mienne. C'est par elle que je crois à l'âme. Si je suis triste, elle le sent aussitôt. Elle ne supporte pas que nous nous disputions. Ce que mon père appelle ma susceptibilité en se moquant de moi est, pour ma mère, la preuve d'un dialogue entre nous qui se passe de mots. Si je l'ai trouvée méchante, si j'ai pleuré à cause d'elle, je suis sûre de la voir surgir dans ma chambre, le soir, après l'extinction des lumières imposée par mon père. Elle ne pourra pas dormir si on ne s'est pas réconciliées. Elle porte en elle ma tristesse comme un poids dont elle doit se débarrasser avant d'aller dormir. On s'embrasse tendrement. Comme je l'aime, ma mère! Mon père ne comprendrait rien à un tel amour. Je suis contente quand il part en voyage d'affaires et que j'ai maman toute à moi.

Entre mon père et moi, depuis l'enfance c'est le silence. Je ne crois plus à son Dieu.

Dieu, c'est la sensibilité de ma mère — ce sentiment de culpabilité qui la fait toujours revenir vers moi.

Dieu, c'est autre chose aussi : la conscience de ma vanité. L'incapacité à sortir de moi, de cette monade close et creuse, pour aller vers le monde. Cette haine de moi qui explose quand j'ai quatorze ans et demi

VI

Ximena et moi sommes amies depuis deux ans. Notre brève histoire d'amour a déjà eu lieu, cette passion physique qui nous a bouleversées toutes les deux six mois plus tôt, à la fin de la troisième, la nuit où j'ai dormi chez elle afin que son père nous conduise ensemble le matin au lycée où nous devions passer le brevet dans un quartier éloigné. Une nuit sans sommeil, dans les bras l'une de l'autre, moi sous elle. Pour cette nuit chez elle, j'avais emprunté une chemise de nuit à ma mère, courte et sans manches, dans un coton très fin. Quand je me suis levée à sa demande, à minuit, pour éteindre la lampe de son bureau, je savais qu'elle pouvait voir mon corps nu dans la transparence de la chemise — et qu'elle le regardait. C'est moi qui ai fait le premier geste alors qu'on reposait sur des matelas étalés côte à côte, incapables de dormir. J'entendais sa respiration. J'ai fini par tendre la main et j'ai effleuré son avant-bras.

«Ximena.»

Elle répond à ma caresse, avec tendresse, ardeur et détermination. Elle m'attire vers elle, sur son matelas, d'une main sûre. Tout mon corps tremble de désir. Je viens d'avoir quatorze ans, elle aussi.

« Ximena, je t'aime ! »

C'est la première fois que je prononce ces mots. Sa main lisse mes cheveux, sa paume remonte sous ma chemise de nuit et caresse mon ventre et mes seins. Je gémis. Mon corps s'arc-boute contre le sien. J'explose de plaisir entre ses bras.

Dans les jours qui suivent, ces quelques jours qui précèdent les vacances d'été et mon départ pour la Bretagne, nous cherchons toutes les occasions de nous retrouver seules. C'est pour elle que je mets la robe d'été blanche à bretelles rouges et à gros boutons rouges, neuve, dont la toile épaisse irrite la pointe de mes seins. Pour son regard sur moi, pour ces mots qu'elle prononce de sa voix ferme et sans hésitation :

« Tu es bien jolie. »

Je suis assise dans sa chambre où, depuis deux ans, j'ai passé tant d'après-midi et de soirées à discuter et à travailler avec Ximena. L'air est chargé de tension. Elle se lève et ferme la porte, cette porte qui reste toujours ouverte et que ses petites sœurs franchissent librement. Elle pousse le verrou. Puis elle revient s'asseoir par terre à côté de moi, au pied du lit. Sa main, délibérément, sûrement, déboutonne le haut de ma robe et fait glisser les bretelles. Mes seins naissants sont à nu. Sa main les effleure. Tout mon corps est saisi d'un tremblement qui le secoue comme une mer agitée par le vent. Quelqu'un tourne la poignée et se heurte à la résistance du verrou.

« Pas maintenant ! On travaille », dit-elle de sa voix

autoritaire de grande sœur, même si l'argument n'est pas crédible puisqu'on est fin juin, qu'il n'y a plus cours, et qu'on a toujours travaillé avec la porte ouverte.

« Ximena, c'est moi ! répond sa mère avec son fort accent grec. Je vous apporte du thé et un goûter. Ouvre ! »

À toute allure je reboutonne ma robe tandis que Ximena se lève et se dirige lentement vers la porte en me guettant du coin de l'œil. Elle ouvre.

« Qu'est-ce que vous trafiquez là-dedans ? » dit sa mère en entrant, le plateau entre les mains, et en posant sur moi, sur mes joues écarlates et mes yeux qui la fuient, un regard soupçonneux.

Au théâtre où elle nous conduit deux soirs plus tard, je ne vois rien de la pièce, *Tartuffe*, dans la petite loge où nous avons des chaises. Plus Tartuffe que Tartuffe, mes yeux sont sur la scène mais toute mon attention est concentrée derrière moi, sur le bras de Ximena posé sur le dossier de ma chaise, dont je rapproche lentement mon dos. Je l'aime, d'un amour passionné, brûlant, comme je n'ai jamais aimé personne. J'ai été deux fois amoureuse : à six ans d'une amie de ma sœur, et à onze ans d'une adolescente de seize ans rencontrée en vacances, que je passais mon temps à espionner sur la plage et pour qui j'avais dépensé tout mon argent de poche afin de lui offrir une petite peluche. Ximena est mon premier amour charnel, mon premier amour où âme et corps sont totalement unis, la première explosion de ma chair, la première nudité qui se serre contre la mienne, la première main qui fait vibrer mon corps.

Le surlendemain je pars en vacances pour l'été. La veille de mon départ en Bretagne, je reste longuement assise sur le lit de mes parents près du téléphone. Je brûle de lui téléphoner et d'entendre une dernière fois sa voix. J'hésite. Par peur de tomber sur sa mère, parce que je me sens coupable ? Ou parce que je crains de ne pouvoir exprimer le tumulte de mes sentiments, cet amour qui déborde par tous les pores de ma peau ? Je voudrais lui crier mon amour. L'appeler « papa ». Oui, c'est le nom que je souhaiterais lui donner. Elle est mon père, plus que mon propre père, plus que les pères de l'église. Elle est l'homme, elle est Celui qui me protège, elle est Celui qui énonce la loi, qui dit le bien et le mal.

Je compose son numéro, demande à lui parler. Sa mère l'appelle. J'entends le bruit du salon : la radio, les voix de ses parents et de ses petites sœurs. Ximena prend le téléphone.

« Allô ? C'est toi ? Qu'est-ce que tu veux ?

— Je... je voulais te dire au revoir.

— On s'est dit au revoir tout à l'heure, non ? Bon, au revoir. »

Je pars. De Bretagne, je lui écris une longue lettre d'amour. Puis j'attends. Je rêve à elle jour et nuit, ma bien-aimée, et ne cesse de me remémorer les moments dans sa chambre ou dans la loge du théâtre. Les jours passent, puis les semaines. Je guette tous les jours le passage du facteur. Il y a des lettres de maman. D'elle, aucune. À la fin du mois, ma tante me tend enfin une enveloppe où je reconnais les boucles rondes et énergiques de son écriture. Mon cœur chante alléluia. Les mains tremblantes, je m'isole dans un coin du grenier et je déchire l'enveloppe. Elle contient, non une longue lettre comme la mienne, mais une carte postale représentant une chapelle romane, au dos de laquelle se trouvent trois lignes tracées de la main de Ximena dans son écriture ferme : «Ma chère Marie, je vais bien, je dors bien, je mange bien, je digère bien, et je t'en souhaite autant.»

Son ironie me gifle, plus violemment que la main de Nathalie. Je reste pétrifiée, tandis que les larmes jaillissent de mes yeux. Je comprends aussitôt l'effet que lui a fait ma lettre : elle l'a trouvée ridiculement romantique. Faute de goût impardonnable aux yeux de Ximena. Je la vois hausser les épaules, lever les yeux au ciel. Je vois ses lèvres se plisser en un sourire ironique. Elle rejette mon amour. Je verse des torrents de larmes. Je ne lui écris plus.

À la rentrée, un mois plus tard, nous sommes toujours les meilleures amies, toujours assises côte à côte en classe. Mais au moindre effleurement dû au hasard, nos genoux s'écartent comme au contact d'un tison brûlant, et je rougis aussitôt. Nous ne nous touchons plus. Pas même les mains. Ne nous embrassons plus, pas même un baiser sur les joues pour nous dire bonjour. La chair est bannie de notre amitié. Pas un mot sur ce qui s'est passé avant l'été, ni sur les lettres échangées. C'est comme si tout cela n'avait jamais eu lieu. Sinon que notre rapport a subtilement changé. Il y a chez Ximena, à mon égard, comme une dureté nouvelle. Elle me possède jusqu'aux tréfonds de mon âme. Elle me connaît comme si elle m'avait faite.

C'est cette année-là, en seconde, l'année de nos quatorze ans, que j'aborde Ximena un matin d'hiver au lycée :

«Tu pourras m'accompagner au café ce soir après les cours ? J'ai quelque chose à te dire.

— Qu'est-ce que tu veux me dire ?

— Je ne peux pas le dire maintenant. Il faut que je te parle.

— Si tu veux me parler, tu le feras en marchant. Je n'ai aucune envie d'aller au café. »

De toute évidence mon ton l'irrite. Il y a une grande différence entre Ximena et moi. J'aime aller au café, elle non. J'y fume et j'y bois des expressos. Elle ne fume pas. Elle déteste rester assise à ne rien faire. Elle préfère marcher dans les rues, pendant des heures.

Mon simple désir de lui parler, et le ton mystérieux et déjà plaintif que j'ai pris pour le lui dire, semble l'agacer prodigieusement. Comment ne pas la comprendre quand depuis des semaines, des mois, je ne me supporte plus? Chaque soir je me retrouve confrontée à ce mur contre lequel je me cogne la tête : je me hais. Je hais mon égocentrisme, mon narcissisme, que Nathalie avait percés à jour. Je hais ce moi romantique qui écrit des lettres d'amour stupides, guimauves et larmoyantes. Ximena m'aimait, me désirait, jusqu'à ce que mon écriture lui révèle ma vraie nature, molle et baveuse, tout juste bonne à écraser sous le talon d'une chaussure. Je lui donne entièrement raison. Je suis condamnée à me haïr à jamais puisque je ne peux pas sortir de moi. Moi restera toujours moi. Le seul moyen d'en finir? Tuer moi. Me tuer. Je ne vois pas d'autre solution. Comment, sinon, cesser de penser obsessivement à ce moi que je déteste? Ce moi lourd, empoté, aussi visible et pesant que ce corps maladroit, disgracieux, incapable de monter à la corde à nœuds? Comment sortir de cette boîte où je suis enfermée, où je hurle sans qu'on m'entende, où la cacophonie de mes cris me donne la nausée?

«Alors? me demande Ximena d'un ton dur alors qu'on remonte le boulevard vers chez elle. Tu voulais me parler. Qu'est-ce que tu veux me dire?»

Tout en poussant mon vélo, j'essaie de lui décrire ces pensées qui m'assomment depuis des semaines, cette haine de moi dans laquelle je tourne à vide. Je lui dis qu'elle est mon dernier recours. Je ne sais plus quoi faire. Je me déteste. Je n'en peux plus de me détester. Je ne vois pas d'autre solution que de me tuer. Ximena ne cille pas. Elle a une petite moue et hausse les sourcils avec irritation.

«Ma chère Marie, c'est le comble du romantisme, d'annoncer son suicide. Ceux qui se tuent ne commencent pas par le clamer sur les toits.»

Gifle qui m'écrase. À quoi m'attendais-je en lui faisant cette déclaration? À une main tendue? À gagner son respect ou sa compassion, qui m'aurait rendue un tout petit peu plus estimable à mes yeux? Je suis une serpillière aplatie sur le sol. J'ai ma réponse. Je la fais ricaner. Dans mon désir de mourir elle ne voit qu'une vantardise destinée à me faire remarquer. Une roublardise. Un numéro de cirque. Je l'énerve avec mes pleurnicheries. Si je suis sérieuse je n'ai qu'à me tuer une bonne fois, et qu'on n'en parle plus, voilà. Fin de la conversation. On marche en silence. Les larmes coulent sur mes joues, la morve sous mon nez. Elle me tend un mouchoir en papier. Elle en a toujours un paquet sur elle parce qu'elle a une sorte de sinusite chronique et se mouche très souvent. Je m'arrête et m'essuie le visage pendant qu'elle tient mon vélo. Je me hais encore plus, s'il est possible, qu'avant de lui parler. Mon mépris pour moi est sans fond. Quand je rentre à la maison, ce soir-là, je ne pleure plus. J'ai compris ce qui me reste à faire.

Calme et déterminée, je dîne avec mes frères et mes parents. Après le dîner, maman couche les garçons. Il y a un nouvel épisode d'*Holocauste* à la télévision. C'est un des rares films que j'ai le droit de regarder, dans la chambre de mes parents où se trouve la télévision. La série me passionne. Je suis amoureuse de Meryl Streep. J'ai adoré l'épisode où elle rejoint son mari dans un camp et couche avec l'officier allemand sadique pour obtenir l'autorisation de la visite. Quand je me masturbe, ce sont ces images que j'évoque. Ou cet autre épisode, quand la petite sœur brune et si jolie du mari juif de Meryl Streep, âgée de seize ans à peine, rentre chez elle un soir après le couvre-feu et se retrouve soudain face à trois SS ivres, dont on devine à l'instant qu'ils vont la violer. On ne voit pas la scène mais on l'imagine. Après, la petite sœur devient folle, et se fait gazer à double titre : comme juive et comme malade mentale. Ma mère juive et marquée par la guerre ne peut pas deviner de quelle nature est mon intérêt pour ce film qu'elle m'autorise à voir à cause de son sujet. Tout me dégoûte en moi, cette hypocrisie, ce détournement abject des tragédies de l'Histoire pour nourrir mes fantasmes.

Ce soir-là, je regarde sans doute l'épisode afin de ne pas alerter ma mère par un comportement différent. Je n'en ai pas souvenir. Puis mes parents se préparent pour la nuit, et je retourne dans ma chambre à l'autre bout de l'appartement, entre celles de mes petits frères endormis, ma première chambre à moi depuis que nous avons emménagé à l'automne dans un immeuble moderne, tout neuf, de la banlieue parisienne et que ma sœur est partie faire ses études à Brest. C'est cette chambre qui me permet de dater l'épisode du suicide. Le souvenir de la marche dans Paris avec Ximena, celui du moment où je me suis mise au lit en pensant que je ne me réveillerais pas, sont hors du temps, sans âge. Mais je revois la chambre avec sa porte-fenêtre, le couloir avec sa moquette verte, les toilettes au papier mural décoré d'oiseaux bleus et verts. Et je sais que ce n'est pas l'année d'après : à quinze ans j'ai voulu mourir, mais par amour, et mon désir de mourir s'est limité à passer de longs moments assise sur la balustrade métallique du balcon et à contempler le sol, six étages plus bas, où j'imaginais mon corps écrabouillé.

Je pourrais, ce soir-là, me jeter du balcon de ma chambre. Ce serait une méthode assez sûre. Mais j'ai trop peur : de la chute, de la douleur physique, de rester paralysée toute ma vie au lieu de mourir, du vide. Ou bien, mais je ne le sais pas, je n'ai pas suffisamment envie de mourir. La deuxième solution, ce sont les médicaments. Mes parents en consomment beaucoup, qui se trouvent dans une petite corbeille sur le comptoir de la cuisine. Il y a des tranquillisants et des somnifères, car ma mère a du mal à trouver le sommeil. Mais voilà : je n'ai jamais su avaler un médicament. Je n'y arrive pas. Ma gorge se contracte, la pilule se coince au milieu, je vomis. C'est la faute de toutes ces Nautamine qu'on m'a forcée à prendre, enfant, avant chaque voyage contre le mal des transports. Ce sont des petites pilules très amères, dont le simple avant-goût, le nom même, me donnait la nausée : je les régurgitais dès qu'on tentait de leur faire passer le barrage de ma gorge. Quand je suis malade, je supplie le docteur de me prescrire ce qu'il veut, des sirops, des sachets à diluer dans de l'eau, des suppositoires même, mais pas de médicaments à avaler : ils ne passent pas. Ni de piqûres : je suis trop douillette.

L'idée ne me vient pas que je pourrais ouvrir les gélules et en extraire la poudre pour la mélanger avec de l'eau et du sucre. J'ignore comment est fabriquée une gélule et je n'ai guère d'imagination dans ce domaine — ou guère envie de mourir. Je me rabats sur le seul médicament que je sais consommer : l'Aspro. Quand j'ai mal à la tête, je fais fondre le comprimé dans un verre d'eau et j'y ajoute beaucoup de sucre. Cela donne de l'eau sucrée, qui se boit sans dégoût. Notre importante provision d'Aspro devrait faire l'affaire. De plus, elle peut disparaître ce soir sans que papa et maman le remarquent : ce n'est pas un médicament qu'ils utilisent. J'emporte les deux boîtes roses dans ma chambre avec le sucre en poudre et une grande chope à bière en verre. Je compte cent Aspro. Voilà qui devrait suffire à m'endormir pour toujours sans douleur.

Je déchire l'enveloppe plastifiée rose de chaque comprimé et le fais tomber dans l'eau. Dix, quinze, seize, vingt, trente, quarante. J'attends qu'ils fondent. Je mélange avec une cuiller, méthodique et patiente. Cinquante, soixante. Je mets plein de sucre. Soixante-dix, quatre-vingts, quatre-vingt-douze, quatre-vingt-treize, quatre-vingt-quatorze, cent. La chope est remplie à ras bord d'un mélange qui tient plus de la bouillie que de la boisson, une mixture blanche, épaisse et très sucrée, écœurante mais pas amère. Je bois à petites gorgées, jusqu'au bout, en m'efforçant de ne pas me contracter. Cela me prend longtemps.

Puis je me lave les dents et me couche.

Adolescente, une de mes rêveries préférées consiste à m'imaginer en victime d'un terrible accident de la circulation. J'y pense dès que j'entends une sirène d'ambulance dans la rue. C'est moi, là, allongée au milieu de la chaussée, inconsciente et ensanglantée. Cette image me fascine. L'ambulance arrive, les infirmiers se précipitent, les pompiers, tout pour moi, pour ce corps inerte dont la vision glace le badaud d'horreur. Ma mère va s'arracher les cheveux. Même ceux qui ne m'aiment pas seront tristes. Je jouis à l'avance de leur tristesse et des regrets qui vont les torturer toute leur vie. S'ils avaient su ! Mais c'est trop tard. Je suis très narcissique, comme me le dit ma sœur avec un rictus de mépris chaque fois qu'elle me voit penchée sur mon bureau en train de dessiner des princesses : « Encore tes princesses ! »

Mais ce soir-là, après avoir avalé mes cent Aspro, je ne suis pas la Belle au bois dormant qui attend son prince dans son cercueil de verre. Je me mets au lit pour la dernière fois sans penser à mes parents ni au corps qu'ils trouveront le lendemain dans la chambre. Je souhaite seulement en finir. M'endormir à jamais, et sortir enfin de l'insupportable carcan qui est moi. Me dissoudre, comme un Aspro dans l'eau. Ne plus entendre parler de moi.

Dans la nuit, je me suis réveillée et j'ai couru aux toilettes. Vomi, vomi, vomi. Allongée par terre, j'ai la tête qui tourne comme une toupie, l'estomac complètement vide, et je régurgite encore de la bile. Mon père surgit dans le couloir.

«Tu es malade?

— Hmmmum.»

Il retourne se coucher. Je reste là toute la nuit, allongée de travers, à moitié sur le carrelage des cabinets, à moitié sur la moquette du couloir, si nauséeuse que je donnerais beaucoup pour effacer le moment où j'ai avalé les Aspro.

Les jours suivants, je ne vais pas au lycée. Je vois le monde à travers un voile de coton. Maman, qui ne s'inquiète pas plus que ça et se contente de me proposer des Aspro, en conclut :

«Elle est si sensible! C'est la série d'*Holocauste* qui l'a rendue malade.»

Je suis contente qu'elle ait trouvé cette explication.

Je retourne en classe. Reprends ma place à côté de Ximena. Pas un mot sur notre discussion d'il y a quelques jours et mes déclarations ridicules.

VII

Dans les années qui suivent, j'ai deux vies. Il y a celle avec Ximena. C'est ma vie claire. Ma vraie vie. Ximena, c'est Dieu le père. Elle énonce la loi. *Fiat lux. Et la lumière fut.* Entre treize et dix-sept ans, je n'ai pas d'autre amie. De mes camarades de lycée, je ne me rappellerai pas une autre. Il n'en existe qu'une : Ximena.

«J'ai l'impression que nous sommes sur une échelle dont je grimpe les échelons avant toi, et que je te tends la main pour te faire avancer», me dit-elle un jour avec son arrogance naturelle.

Je ne mets jamais en doute ce qu'elle dit. Elle est mon critère absolu. Je fais tout ce qu'elle me commande. Le jugement qu'elle porte sur autrui devient aussitôt le mien. Je ne peux rencontrer quelqu'un — surtout un garçon — sans imaginer aussitôt quel serait le regard de Ximena sur lui. «Idiot», décréterait-elle. À mes yeux le garçon n'est plus qu'un idiot. Personne ne croit en elle plus que moi. Notre alliance est aussi forte que celle de Yahvé et Moïse. Toute la force de ma foi d'enfant s'est concentrée sur elle ; je suis avec elle contre tous : nos condisciples — aux yeux desquels elle reste souvent la folle, tant son étrangeté la différencie — et, surtout, nos professeurs. Ils sont idiots puisque Ximena le dit. Elle est la seule personne au monde que je juge intelligente. Huit heures par jour, en classe, nous sommes assises côte à côte, inséparables. Deux noms indissociables, Ximena et Marie, la brune et la blonde, le démon et l'ange. En cours, nous ne cessons de bavarder. Quand le professeur nous réprimande, nous continuons nos bavardages par écrit. Nous nous ennuyons tellement que nous inventons des histoires, dont nos professeurs sont les héroïnes. Des histoires de cul, bien sûr. Ce cul banni de notre relation surgit dès qu'il s'agit d'un autre, et d'une fiction. Ximena a l'esprit libre et plein d'audace. Elle me parle un jour d'un sultan turc qui se croyait en sécurité parce qu'il faisait garder ses femmes par des eunuques. Elle tend la main, un doigt dressé :

« Comme si on ne pouvait rien faire avec les doigts ! N'est-ce pas, Marie ? »

Cette allusion si directe à la masturbation me rend écarlate. Je me masturbe presque tous les jours mais ne peux imaginer Ximena se livrer à une telle activité. Je ne peux plus imaginer son corps nu. Pour moi elle n'est plus un être de chair. Juste un esprit. Un être de parole. Elle aime raconter qu'elle a commencé à parler à dix mois, pas à balbutier et à dire « baba » (le nom dont elle appelle son père) mais à faire des phrases complètes, et que les dames au parc ne pouvaient pas le croire quand elles voyaient ce tout petit bébé aux cheveux frisés noirs s'exprimer avec l'éloquence d'une adulte. C'est ainsi que j'imagine Ximena à dix mois : parlant exactement

60

comme la Ximena de quinze ans, avec la même voix claire, le même ton affirmatif.

Nous dessinons nos personnages au marqueur indélébile sur le bois verni de nos salles de classe. Nous échangeons des petits mots écrits dans les marges de nos cahiers ou de nos feuilles perforées. Nous rions. Ou plutôt, je ris. Je pouffe, je glousse, j'éclate de rire. Démoniaque, Ximena exerce un parfait contrôle sur les traits de son visage ; à peine un léger sourire en coin à mon intention, que je suis la seule à percevoir, destiné à provoquer mon fou rire. Mais les professeurs ne sont pas dupes. Ils la mettent à la porte et l'envoient chez le proviseur aussi souvent que moi. Notre professeur de français, Mademoiselle Barbe, une petite femme boulotte que Ximena surnomme Barbichon, nous interpelle pendant un cours.

« Vous dessinez sur les tables ? Vous détruisez le matériel communautaire ! Mademoiselle Rodriguez, venez prendre l'éponge, et nettoyez ! »

Ximena s'exécute. Elle va chercher l'éponge au tableau et revient à notre table. Elle frotte énergiquement, avec un sérieux qui secoue mon corps d'un tremblement de rire.

« Madame, c'est un marqueur indélébile, remarque-t-elle de sa voix claire et ferme. In-dé-lé-bi-le, du latin *deleo, es, ere* : ça ne peut pas s'effacer. »

Je n'y tiens plus : j'explose. La prof furibonde — qui se sent d'autant plus trahie que c'est moi la gentille, et la meilleure de la classe en français — m'envoie chez le conseiller d'éducation.

Ou bien, Barbichon nous rend un devoir. Nous

devions commenter un texte de Colette, où celle-ci décrivait son bonheur le matin de Noël. Sujet : «Expliquez où Colette puisait sa joie.» Ximena a écrit le récit d'une autopsie. Les médecins en blouse blanche maculée de sang penchés sur le cadavre de Colette le charcutent en cherchant où elle puisait sa joie. Ils ne trouvent rien. Sa rédaction s'achève sur ces mots du médecin-chef : «Messieurs, demain nous nous attaquerons au squelette.»

«Je ne comprends pas! glapit Barbichon en brandissant la copie.

— Si vous ne comprenez pas, ce n'est pas ma faute», réplique Ximena avec une tranquille insolence.

Je suis avec elle, de tout cœur, contre le lycée, contre la bêtise des professeurs et des institutions.

À treize ans, Ximena lit Shakespeare et Thucydide. À quatorze ans, elle me fait découvrir Dostoïevski. Elle ne jure plus que par Stavroguine. Elle s'identifie au personnage qui pénètre l'âme humaine, la retourne comme une crêpe, la pervertit, fait scandale socialement, ne connaît aucune règle. Elle est Stavroguine. Elle m'explique que le vrai titre du roman n'est pas *Les possédés*, mais *Les démons*, dans le sens grec du mot. Moi, je suis plutôt l'Aliocha des *Frères Karamazov*, le prince Mychkine de *L'idiot*. En français, c'est moi qui ai les meilleures notes, pas Ximena dont l'écriture elliptique et l'imaginaire étrange déroutent nos professeurs. Mais Ximena se soucie peu des notes. Nous savons toutes les deux que c'est elle le génie.

«Il y a plusieurs formes d'intelligence, une intelligence sensible qui est la vôtre, Marie, et une intelligence cérébrale qui est celle de Ximena», me dira plus tard

Madame Brasier, notre professeur de français, surprise de m'entendre m'autodénigrer.

Je suis sûre qu'elle a tort. Ce n'est pas vrai, puisque ce n'est pas ce que dit Ximena. Il me semble que tous font partie des faibles, sauf elle. Personne n'est à sa hauteur. Personne n'a sa hardiesse, son absence de peur, son esprit vif et incisif, sa certitude. Je ne comprends guère ce qu'elle me trouve. Mais je ne mets pas en doute son amour. Il s'étend exactement sur trois personnes en dehors de ses parents : ses deux petites sœurs, qui ont l'âge de mes deux petits frères, et moi. Elle adore ses petites sœurs, qui ont sur elle tous les droits, et dont je suis parfois jalouse. Je ressens une immense fierté d'être l'élue.

Son amour est lucide : tendre et sévère. Mes défauts ne lui échappent pas. Elle en tolère certains, en amende d'autres. Tous les jours en sortant du lycée on s'arrête à la boulangerie, même si c'est un détour. L'odeur exquise de chocolat et de pâte chaude nous annonce que les pains au chocolat viennent de sortir du four, encore fondants. Je m'en achète un. Ximena n'aime pas les pains au chocolat, mais la tendresse se lit sur les traits de son visage quand elle me regarde dévorer le mien. Souvent elle me le paie ou m'en offre un deuxième. Elle a de l'indulgence pour ma gourmandise et pour mon passé de voleuse que je lui ai confessé. Mes aventures avec Nathalie la font rire, elle qui n'a jamais rien volé. Mais le jour où nous croisons une fille de la classe qui nous demande : « Z'avez pas cent balles ? » et que Ximena secoue la tête car elle vient de dépenser toute sa monnaie pour payer mon goûter, j'ai beau faire semblant de fouiller mes poches avant de répondre «non», elle ne laisse pas passer ma petite vilenie :

«Mais si, Marie, tu as de l'argent : dans la poche de ton pantalon.»

Me voilà obligée, rougissante, humiliée et furieuse, sous l'œil de mon juge, de sortir la pièce de cinq francs et de la donner.

Pendant quatre ans, chaque soir en sortant de cours on marche ensemble, soit en remontant l'avenue vers l'appartement que ses parents louent dans un quartier bourgeois, soit en traversant le bois vers chez moi, la résidence moderne où j'habite depuis que j'ai quatorze ans, et dont Ximena a décrété une fois pour toutes qu'elle était«affreuse». Quelques mois avant que ma famille y emménage, Ximena et moi sommes allées avec la classe dans un théâtre de banlieue. En sortant, nous avons vu à côté du théâtre un chantier d'immeubles en construction. Un panneau indiquait : «Parc du Jour et de la Nuit». Je me suis rappelé que c'était le nom de la résidence où mon père avait acheté un appartement. Ximena a ricané.

«C'est là que tu vas habiter ? Bien fait !»

J'ai vu par ses yeux des immeubles d'une laideur absolue. J'ai toujours gardé une vague honte, à cause d'elle, d'y habiter. Ximena vit au cœur du quartier le plus bourgeois de Paris, mais je ne m'en rends pas compte. Ses parents sont beaucoup trop excentriques pour pouvoir être qualifiés de bourgeois. La mère est grecque, le père chilien. Ils se sont rencontrés à Paris où ils faisaient des études. Tous deux parlent français avec un fort accent. La mère s'occupe de ses trois filles, partage leurs plaisanteries, rit beaucoup, leur cuisine des plats grecs. Ximena parle grec. C'est chez elle que je mange de la pastèque pour la première fois, et je ne lui connais pas d'autre nom que celui que lui donne Ximena, en appuyant sur la deuxième syllabe : « carpousi ». Le père est un exilé politique et un intellectuel, qui a monté une école de langues et mis au point une méthode d'immersion, la seule, bien sûr, qui permette d'apprendre vraiment une langue étrangère. Ximena est très fière de ses origines. Elle insiste pour qu'on prononce son nom à l'espagnole, en prononçant le X comme un « h » aspiré et rauque. Au début de l'année, elle ne cesse de reprendre nos professeurs :

« Pas Ximena. C'himena. »

Avec affectation, elle hoche la tête de haut en bas pour dire non puisque c'est ainsi qu'on le fait en Grèce, même si elle sait que le geste signifie « oui » en France.

L'appartement est plein de livres, meublé de bric et de broc. Une moitié du séjour sert de bureau au père. Les murs sont couverts de rayonnages, les livres jonchent le plancher et le bureau en piles précaires. L'autre moitié, le salon-salle à manger, est à peine meublée : un canapé et une table carrée avec des chaises dépareillées, où mange la famille. Pas de télévision, mais une radio allumée en permanence. De toute évidence, malgré leur belle adresse, les parents de Ximena n'ont pas une vie sociale comme les miens. Je ne vois jamais aucun ami chez eux. Le père porte un veston sombre sur une chemise blanche, sans cravate, et Ximena et ses sœurs s'habillent sans suivre la mode, de vêtements que leur mère achète chaque automne par sacs entiers chez Tati.

Il ne me vient pas à l'idée que Ximena, avec ses épais cheveux frisés noirs qui forment un casque autour de son visage, sa peau très blanche héritée de sa mère, ses yeux noirs et son corps fin, puisse être considérée comme belle. Elle a des canines pointues plus longues que les incisives, grâce auxquelles elle a mis au point une convaincante grimace de vampire, réussissant à sortir juste leur pointe aiguisée sur ses lèvres fermées : c'est ainsi que je la vois, en vampire, pas en jeune fille attrayante, même si à quatorze ans elle a déjà des seins que je regarde sous son pull avec curiosité, moi qui suis toujours plate. Elle ne parle pas de son physique. Rien ne semble lui importer moins. Par contre, de sa sœur cadette, elle dit avec admiration : «Elle est très belle.» Je vois à travers ses yeux la beauté de sa sœur, celle d'une petite fille à la peau foncée comme celle de leur père, aux longs cheveux épais, très noirs, coiffés en nattes, et au visage racé. Une beauté non française.

Passant devant la porte ouverte de la chambre des parents, je jette un coup d'œil à leur lit et songe que c'est là, sur ce lit, qu'ils font l'amour. Vision inconcevable. Ils ont pourtant procréé trois fois. Le père de Ximena, homme de verbe plein d'assurance, n'est pas quelqu'un que je peux imaginer se livrer à un acte charnel. Il parle avec un fort accent hispanique, et la même fermeté arrogante que sa fille. Il est grand, la carrure large, le port altier, la peau si foncée qu'elle en est presque noire, les cheveux grisonnants, le nez busqué et, sur ses lèvres charnues, un constant sourire légèrement méprisant. Il me fait peur. Devant lui je me sens inexistante. Un jour, quand nous avons quinze ans, il nous invite à le suivre dans son bureau. Nous nous asseyons, et il nous fait une longue dissertation sur Jakobson, le signifié et le signifiant, en accompagnant ses paroles de gestes énergiques. Ximena hoche la tête et pose des questions. Je ne comprends rien et n'ose pas le dire. Un autre jour où je déjeune chez eux et où ils discutent, comme d'habitude, de politique, Ximena interrompt son père pour se tourner vers moi :

« C'est le président du Komintern. »

Son père ricane.

« Tu prends Marie pour une idiote ? Tu crois qu'elle ne le sait pas ?

— Elle ne le sait pas. Elle n'écoute jamais la radio. »

Son père me lance un regard incrédule. Toute rouge, je confirme le verdict. Il a l'air stupéfait mais ne dit rien de plus, puisque je suis l'amie de sa fille, et qu'elle m'accepte avec mon ignorance. Ximena est la fille de son père. Comme lui, elle sait tout sur la politique, tout sur le monde. La famille entière partage le même sens de supériorité et la même ironie. C'est un bloc de certitude que rien ne peut ébranler. La benjamine de cinq ans est capable d'imiter Giscard, Raymond Barre ou Chaban-Delmas à la perfection. Toute la famille éclate de rire et je ris avec eux pour ne pas être en reste, même si je ne sais pas qui sont Barre et Chaban-Delmas. Je suis si souvent chez eux que je fais presque partie de la famille : leur bouclier de certitude me protège.

Pendant nos longues promenades après les cours, tandis que je pousse mon vélo et que Ximena marche d'un pas vif à côté de moi, nous parlons. Pas de nous, pas de mode, pas de garçons, pas des sujets habituels qu'abordent les filles de quinze ans et qui n'intéressent pas Ximena. Elle lit Homère, Suétone, Tacite, Ovide, Thucydide, Platon et Plutarque. Elle me raconte l'histoire des dieux grecs et des empereurs romains. Elle lit Saint-Simon, Brantôme, Boccace, Sade et Casanova. Elle aime les histoires les plus décadentes, celles de Caligula, de Néron, de Messaline, de Gilles de Retz. Elle connaît toutes les coucheries de l'Olympe, tous les incestes et les adultères, tous les récits de vengeance et d'empoisonnement, tous les méandres des arbres généalogiques des dieux et des empereurs. Ses dieux sont humains, et libertins. Elle les voit vivre. Je l'écoute, rétive à ces récits de temps très anciens, qui me semblent lointains et me restent abstraits. Elle doit souvent me les raconter plusieurs fois, car j'oublie vite et confonds tous les noms.

En échange, elle me réclame des fictions de ma composition : histoires d'amour dont les acteurs sont nos professeurs de lycée, en particulier la blonde prof de maths, jolie et mince, qui va bientôt se marier et qui est visiblement du goût de Ximena ; la prof de physique, une blonde platinée d'une quarantaine d'années au royal nom de Sultana dont une élève a un jour arrosé le dos de sa blouse blanche d'un jet d'encre, provoquant une fureur impériale que Ximena se plaît à rejouer ; la très charmante prof de français, Madame Brasier au nom qui embrase notre imagination, une jeune mère de famille que nous fréquentons douze heures par semaine car elle est notre prof de français, de latin et de grec ; et, en terminale, le nouveau prof de philo, seul mâle parmi ce troupeau de femmes, jeune homme habillé de noir dont nous allons suivre clandestinement les cours parce que nous périssons d'ennui avec la prof qui nous est échue, la vieille Bianca dont nous savons, j'ignore comment, qu'elle a couché avec Sartre autrefois, et qui nous fait doucement ricaner le jour où elle arrive en classe habillée tout en noir et réclame une minute de silence : Sartre venait de mourir.

VIII

Ximena, c'est ma vie de lumière. Mais à côté il y a ma vie d'ombre. Il y a ceux dont je tombe amoureuse sans pouvoir le lui dire. Il y a Jean, quand j'ai quinze ans, rencontré l'été en Bretagne, que je revois l'automne à Paris. Jean à qui je rends visite dans sa petite chambre de bonne, et à qui je me donnerais sans hésiter s'il avait seulement l'idée de me prendre, Jean pour qui je traverse à vélo tout le bois de Boulogne afin de lui apporter un galet que j'ai peint aux couleurs du drapeau breton et sous lequel j'ai écrit «Je t'aime», Jean qui a dix-neuf ans et qui prépare un concours très difficile alors que j'en ai quinze, que je glande, que je n'ai rien à faire sinon rêver d'amour; Jean pour qui je me prépare longuement, baignant mon corps, l'enduisant de crèmes onctueuses parfumées au chèvrefeuille, pour qui je lave mes cheveux et me fais un brushing, souligne mes yeux au crayon bleu, brosse mes cils au mascara, choisis avec soin mes plus jolis habits, Jean qui me téléphone alors que je m'apprête à sortir pour ce rendez-vous dans Paris avec lui et qui me dit qu'il est désolé mais qu'il doit aller chez le dentiste car il a une carie et qu'il aura ensuite trop de travail pour me voir ; Jean qui me laisse en plan, parfumée et si jolie près du téléphone raccroché, Jean pour qui je me verse un verre entier de gin et le bois presque cul sec, moi qui n'aime pas l'alcool, et pour qui ma tête tourne à en exploser, Jean pour qui je m'assieds sur la balustrade du balcon, les jambes pendant dans le vide, et contemple l'esplanade six étages plus bas, Jean pour qui je veux mourir. De lui, Ximena ne sait rien. J'ai honte de moi, de mon amour, de mon désir, honte de Jean aussi dont je devine qu'il ne recueillerait pas l'approbation de Ximena, car qu'a-t-il pour lui sauf une jolie gueule ? Il est idiot, j'en suis sûre, ce Jean qui passe sa vie à faire des maths et à préparer un concours. De Ximena j'ai gagné cette autre conviction, que les scientifiques sont des imbéciles. Jean est ma part superficielle, ma sensualité, ma frivolité, tout ce que condamne Ximena, le Verbe, Dieu sans douceur qui ne se fait pas chair, Dieu sans clémence qui m'oblige à étouffer en moi ce qu'il y a de haïssable : mes désirs narcissiques, mon désir d'être désirée, mon désir d'image de catalogue, ma mollesse — tout ce qui, en moi, n'a pas encore été amendé grâce à Ximena.

Ximena l'ignore : un autre démon me guette, plus dangereux que Jean. Plus séducteur, plus irrésistible. L'ennemi est dans la place : nous le côtoyons tous les jours. Un autre amour, qui prend la place de Jean, en décembre de cette année-là, quand j'ai quinze ans, quand c'est fini avec Jean, qui m'a dit qu'il devait travailler et ne voulait plus me voir. Madame Brasier. Geneviève, cet exquis prénom que je lis dans un roman de Gide, que je répète à voix basse. Geneviève, ses cheveux bruns et lisses attachés en chignon, son beau visage, son sourire qui bride ses yeux et qui descend en moi, me pénètre, me réchauffe comme un rayon de soleil. Douze heures par semaine sous son regard rayonnant. À Noël, je lui écris une lettre. J'ose y déclarer mon amour. Elle est mariée, je le sais. Elle a un mari, deux enfants un peu plus jeunes que moi, qui sont élèves du même établissement. Une brune fille de douze ans, un garçon de dix. Je les ai vite identifiés. Je les repère de loin. Je frémis quand je les croise, les rejetons de mon amour, dans un couloir du lycée. En passant, je leur souris. Leur mère doit avoir trente-cinq ans. J'en ai quinze. Mais mon amour est trop fort, trop ardent, trop pur aussi, pour que je ne le lui déclare pas. Je souffre. J'ai besoin qu'elle le sache.

Les vacances passent sans qu'elle me réponde. Je ne cesse de penser à elle. Son silence m'obsède. Je ne sais pas comment je lui ferai face lors du retour en classe, comment je pourrai affronter la honte de ce rejet. Puis le dernier jour, la veille de la rentrée, une lettre arrive. Je reconnais aussitôt l'écriture que j'ai vue sur mes copies notées par elle, fine et penchée. J'ouvre la lettre avec le même tremblement qui m'a saisie quand j'ai ouvert celle de Ximena un an et demi plus tôt. Mais autant la carte de Ximena m'avait fait mal, brève, acerbe et sarcastique, se moquant implicitement de mon romantisme, autant la lettre de Geneviève, deux feuillets couverts de sa gracieuse écriture, me comble de bonheur. Si je pleure, c'est de joie. Elle m'a entendue. Elle m'écrit que ma lettre ne l'a pas surprise. Que, depuis le début, je suis unique pour elle parmi les trente-cinq élèves de la classe. Qu'en cours, c'est à moi qu'elle s'adresse. Qu'elle aime voir mon sourire. Elle me dit tout cela, ma prof aimée, et mes pensées galopent en rêveries farouchement sensuelles. Je vois ses seins, je m'imagine les toucher. Je rêve de contacts entre nos deux corps, de baisers. Bien sûr, elle ne me déclare pas son amour. Elle reste réservée et pudique. Mais elle m'a comprise. Elle m'a choisie. Le lendemain, quand j'entre en classe, je porte triomphalement son amour. Mon regard et mon sourire sont auréolés d'un désir qu'elle est seule à lire.

Il ne se passe rien. Elle n'est pas Simone de Beauvoir. Je n'ose rien. Je ne suis même pas sûre qu'il me soit venu à l'idée que quelque chose pourrait se passer. Mon désir est sublimé. Son sourire, son regard, sa voix douce me suffisent. De toute façon, je ne suis jamais libre de la voir seule, puisque Ximena m'accompagne toujours. Une seule fois, parce que je suis restée au lycée plus tard qu'elle à cause d'un cours de dessin, je croise Madame Brasier près de la salle des profs. Bonheur. Elle s'arrête. On bavarde. Je lui montre les cicatrices sur mes poignets. Elle pousse une exclamation horrifiée. Je lui explique que je les ai faites avec un couteau de cuisine. Rien de grave. Je ne cherche pas à me tuer. C'est juste qu'il y a quelque chose que je ne supporte plus, quelque chose qui est moi, et qui fait que j'ai besoin de voir le sang. Je presse avec le couteau, je le fais glisser, ça pince la peau, ça fait mal. Je dis à Madame Brasier tout ce que je ne dis pas à Ximena. Je lui parle de ce moi haïssable et abominablement narcissique qui ressort en toute occasion. Elle a l'air de m'y autoriser. Elle ne semble pas le détester, ce moi mou que Ximena cherche à réformer. Elle me parle avec douceur. La douceur d'une mère et d'une amante.

Chaque matin j'arrive au lycée avec vingt minutes d'avance. Si je raccourcis mes nuits, ce n'est pas seulement pour avoir le temps de fumer deux cigarettes avant le début des cours. C'est pour voir arriver Madame Brasier. Assise sur la barre à laquelle j'ai attaché mon vélo, je fume. Le parvis du lycée est désert. C'est l'hiver, le jour ne s'est pas encore levé. Les profs, un à un, montent les marches vers la large porte en fer forgé. La voilà. Mon cœur bat à tout rompre. Mince silhouette en tailleur de laine grise, jupe droite au-dessous des genoux, jambes fines, chaussures à lacets et talons moyens. Elle me sourit, ne s'arrête pas, me fait parfois un petit signe de la main. Professionnelle. Mais quel bonheur ensuite, à la sortie du lycée, quand je marche avec Ximena, de donner à Madame Brasier un rôle dans mes histoires ! De la déshabiller en mots, de la caresser, de décrire ses seins, ses jarretelles, son slip en dentelle, son soutien-gorge, de la faire coucher avec la jolie prof de maths ! Ximena rigole, enchantée du tour qu'a pris l'intrigue. Elle ignore que ces péripéties me donnent presque envie de jouir.

Bonheur aussi, quand j'ai mon accident de vélo, que je retourne en classe après quatre jours d'absence avec un bras plâtré et une tête cabossée, de voir Madame Brasier avec un œil bandé, et d'apprendre que, le jour même où je perdais conscience en chutant sur le boulevard à cause d'une portière de camion que j'avais voulu éviter, ce jour-là, chez elle, en se penchant pour arroser une plante, elle s'est pris le tuteur dans l'œil et percé la cornée ! Bonheur de savoir que nous avons été blessées le même jour, comme unies par un lien mystérieux, et que Madame Brasier est allée aux urgences de l'hôpital même où l'on me gardait pour trois jours en observation. Comme il devient poétique, soudain, ce nom d'Ambroise Paré. Et même celui de la banlieue où habitent mes parents, que je me prends à aimer puisqu'elle y vit aussi. J'ai trouvé son adresse dans le bottin. Les jours où Ximena me raccompagne presque jusque chez moi, après l'avoir laissée au métro, sans le lui dire je roule à vélo jusque chez Madame Brasier et contemple son immeuble moderne en me demandant à quel étage elle vit et à quoi ressemble son mari — dont je suis sûre qu'il est jeune et beau.

Madame Brasier nous a envoyées passer le concours général, Ximena et moi, car nous sommes ses meilleures élèves : Ximena en latin et en grec, moi en français. De toute l'année elle ne m'a jamais donné moins de 16. Pour raffermir ma confiance, elle m'a dit, peu avant le concours, avoir montré ma dernière dissertation à une de ses collègues : celle-ci n'avait jamais rien lu de meilleur et a prédit un prix. Comme j'aimerais l'obtenir, ce prix ! Lui faire honneur. Le sujet est une citation de Proust. J'ai lu toute la *Recherche,* je suis en terrain connu. Un mois plus tard, les résultats. Je n'ai pas de prix. Ximena, elle, reçoit le troisième prix en latin. Triste, déçue, je fume une cigarette dans la cour du lycée à la fin de la récréation et m'apprête à remonter en cours, en retard, quand je croise une fille de ma classe qui va aux toilettes. Elle m'apprend, tout excitée, que Madame Brasier a publiquement félicité et embrassé Ximena.

« Embrassé ?

— Oui, dit la fille en rigolant. Sur les deux joues, devant tout le monde. »

75

Blême, je monte lentement le grand escalier. Je suis heureuse de ne pas avoir assisté à la scène, celle de ma honte et de mon humiliation. Elle a embrassé Ximena. Elle a touché son corps, touché, de ses joues, de sa peau douce, celles de Ximena. Jamais elle ne m'a embrassée. Tout ce qui compte pour elle c'est donc cela, la victoire, l'honneur du prix? Moi qui n'ai pas gagné, je n'existe plus pour elle? Oh, elle me consolera, bien sûr, gentille, mais elle ne m'embrassera pas. Ce contact rêvé avec son corps, je n'y ai pas droit. Elle en a fait don à mon amie, Ximena, qui n'a que faire de ce cadeau, qui en rit. Une flèche empoisonnée a atteint mon cœur. Ce baiser, la cruauté de cette préférence déclarée, je ne les pardonne pas à Madame Brasier.

C'est par dépit amoureux, sans doute, que je me confesse à Ximena, avant ou après l'été. Nous sommes parvenues jusqu'à mon immeuble en marchant.

«J'ai quelque chose à te dire, Ximena.

— Quoi?»

Son irritation est déjà perceptible. Elle n'a jamais aimé ce ton mystérieux, languissant et guimauve. Si j'ai quelque chose à dire, que je le dise, sans faire de manières, sans m'entourer de mille précautions ridicules.

«Promets-moi que tu ne vas pas te mettre en colère.

— De quoi tu parles?

— C'est à propos de Madame Brasier.

— Ah!»

Aussitôt le visage de Ximena s'adoucit. Si ça concerne Madame Brasier, le personnage favori de nos histoires, ça l'intéresse. Ça promet d'être rigolo. Je lui révèle que j'aime Madame Brasier, depuis des mois. Elle ne cille pas. Elle sourit, presque égrillarde.

«Ah bon! Il s'est passé quelque chose?

— Pas vraiment. Ça dépend de ce que tu appelles "quelque chose".»

Je lui raconte : ma lettre, la réponse de Madame Brasier, mon bonheur infini à la lire. Depuis, rien sinon des regards, des sourires, une complicité.

«Vous vous êtes vues en dehors des cours?

— Non.»

Ximena mène son enquête. Elle veut savoir exactement ce que nous nous sommes dit, quels ont été nos gestes quand nous nous sommes croisées dans les couloirs du lycée. Je ne l'ai jamais vue manifester un tel intérêt pour mes gestes et mes pensées. Je dis tout dans le moindre détail. Même ma jalousie en apprenant qu'elle avait reçu un baiser de mon idole. Elle badine, rit avec moi. Puis soudain, elle se tourne vers moi, me fait face, et fixe sur moi un regard dur :

«Ne fais plus jamais ça. Tu m'entends, Marie? Plus jamais.»

Je frémis. Son regard empli de colère semble prêt à me pulvériser. «Ça»? Je comprends aussitôt ce qu'elle veut dire. «Ça», c'est-à-dire tomber amoureuse, en cachette, et me complaire pendant des mois dans des désirs, des sentiments brûlants, une souffrance, une attente, sans que Ximena en sache rien. Vivre une vie séparée d'elle, par-derrière, par en dessous, sournoise. Plus jamais ça. Je n'ai plus droit à mes propres désirs. «Ne désire plus, tu m'entends?» C'est Dieu qui l'ordonne : Ximena autoritaire, inaccessible au doute, qui me transperce de son regard et me juge, braquant sur ma vie d'ombre une lumière violente et impitoyable. Le désir est dorénavant interdit.

Mais dans ce moment où Ximena me donne cet ordre d'un ton sans réplique, c'est autre chose que je découvre. Elle n'est pas Dieu. Pas invulnérable. Elle que je croyais toute-puissante et inaltérable, j'ai, moi la faible, le pouvoir de la faire souffrir. Elle n'a guère apprécié mon aveu. Elle a prétendu rire et plaisanter, mais c'était seulement pour mieux m'extorquer les détails. En vérité, elle ne rit pas. Le mal, ce n'est pas ce moi que je hais, mou, narcissique, en proie à des désirs charnels : ma sournoiserie. C'est mon aveu. La réalité, la cruauté du désir. Le pouvoir d'atteindre l'autre quand on le prend pour Dieu. Je ne jouis pas du mal que je lui fais. Au contraire. C'est cela qui m'effraie le plus : découvrir qu'il y a de l'incontrôlé, plus fort que le savoir absolu. Ce désir qui échappe à mon contrôle échappe au sien aussi.

L'année suivante sera sans désir. J'ai seize ans, un petit ami qui essaie de me convaincre de coucher avec lui, dont je touche avec dégoût le sexe poilu, et que je n'aime pas. Inutile d'en parler à Ximena : il n'existe pas. Il n'est pas un danger. Quant à l'autre, Madame Brasier, qui nous aimait tant qu'elle a demandé à rester notre professeur une deuxième année et que nous fréquentons maintenant huit heures par semaine, quatre heures en grec, quatre heures en latin, presque seules avec elle pendant quatre heures puisqu'il n'y a que deux autres élèves de grec, notre amour a tourné à la haine. Elle ne sait pas, Geneviève, que je n'ai plus le droit de lui sourire, plus le droit de la regarder tendrement, plus le droit de lui parler, plus le droit de l'aimer. Elle ne sait pas que je suis sous surveillance permanente. Je l'aime toujours, aussi intensément qu'avant. C'est pour cela qu'il importe que Ximena n'en sache rien. Cet amour est impardonnable. Et j'ai promis. Plus jamais, plus jamais. Je le cache avec ruse, mon amour. En cours, je bavarde, je ricane avec Ximena. La voix de Madame Brasier s'élève, sèche et hostile :

« Marie, pourriez-vous répéter la phrase que je viens de dire ? »

Les élèves lèvent la tête. Ils entendent sa colère. Ils devinent que d'ici cinq minutes je serai chez le proviseur. Les foudres de Madame Brasier semblent prêtes à s'abattre sur moi. Miraculeusement, la phrase non écoutée réapparaît dans mon esprit comme si elle s'y était tracée toute seule. Je la prononce sans en comprendre le sens. Mémoire enregistreuse, automatique.

« Vous avez de la chance », gronde Madame Brasier sans desserrer les dents.

Elle ne cesse de me brimer. Appelle mon nom, la voix dure. Devient méchante. Essaie d'exercer du pouvoir sur moi, de me séparer de Ximena, de me punir. C'est la haine. La lutte à mort. Elle ne supporte pas de voir que ses attaques glissent et que je ris avec mon amie. Elle me promet qu'elle va me rédiger un tel carnet scolaire qu'il grillera mon avenir. « Élève insupportable, odieuse. » De sourire, plus jamais. Plus un doux regard. Nous sommes comme deux amantes après une violente dispute, sauf que nous ne sommes pas amantes, que la dispute n'a pas eu lieu, qu'elle ne peut rien y comprendre. C'est elle contre Ximena. Je n'ai pas le choix, car j'ai trop peur

— peur du mal que fait le désir. Mon amour pour elle tue Ximena. Mon insolence apparente est le seul moyen de sauvegarder cet amour en secret. Comment pourrais-je le lui dire, quand je ne le sais pas moi-même, sinon instinctivement ?

IX

Nous passons le bac. Nous entrons ensemble en hypo-khâgne, dans le même lycée, à quarante minutes de chez moi. C'est trop loin pour y aller à vélo. Nous prenons toutes les deux le métro. La station de Ximena se trouve sur mon trajet. Elle m'y donne rendez-vous chaque matin, en tête de train. Cela fait presque cinq ans que nous sommes amies. Elle me surveille plus étroitement que jamais. Chaque matin à huit heures moins vingt, je la retrouve sur le quai du métro. Si elle n'est pas encore là, je dois descendre du wagon et l'attendre, alors même que nous risquons d'arriver en retard, et que j'ai hor-reur d'attirer l'attention sur moi en entrant dans la salle quand la porte est fermée et que le cours a déjà com-mencé. Mais faire le trajet sans elle serait une impardon-nable traîtrise. Souvent j'aimerais être seule : je pourrais travailler, lire, apprendre du vocabulaire grec ou latin, gagner du temps. Avec Ximena, il n'en est pas question : le trajet en métro sert à bavarder. Le soir, nous sortons de cours ensemble, et nous rentrons par le même métro. À l'heure du déjeuner nous nous promenons dans les rues du Quartier latin ou au jardin du Luxembourg. Nous achetons à un kiosque un sandwich kebab ou une crêpe complète, et nous les mangeons en marchant puisque Ximena n'aime pas aller au café. Bien que nous ne soyons plus dans la même classe, nos noms restent unis : Ximena et Marie. Tous nos camarades savent que nous sommes ensemble. Nous nous retrouvons dans le couloir dès que retentit la sonnerie.

Mais quelque chose en moi se rebelle, cherche à lui échapper, se dérobe sournoisement à son autorité. En classe j'ai rencontré Claire, dont la beauté me touche, et pour qui j'ai une amitié d'une autre sorte, tendre, admirative, amoureuse. Elle a dix-huit ans, et moi dix-sept. Claire est femme, quand je suis encore petite fille. Pendant trois ans elle a eu un amant marié, qu'elle avait rencontré à la piscine dans sa ville de province et qui allait la chercher en voiture à la sortie du lycée. La première fois, ça s'est passé sur la banquette arrière de sa Renault 16. « Ça n'a pas fait mal ? — C'était merveilleux. » Un élégant mouvement du menton ponctue sa réponse. Claire parle d'amour, récite des poèmes d'amour, a la religion de l'amour. Elle est surveillée par son terrible père comme je le suis par la sévère Ximena. Elle habite chez une vieille dame à qui il a demandé de noter l'heure à laquelle elle rentre après les cours. Une ou deux fois, je réussis à quitter l'école quelques minutes avant Ximena et je m'enfuis avec Claire. Je l'accompagne jusque chez elle, et nous nous glissons dans sa chambre en cachette de la vieille dame. Allongées sur son lit, nous lisons du théâtre et dc la poésie. Verlaine, Baudelaire, Racine, Claudel. J'écoute Claire. La beauté de son visage à la peau très blanche encadré de longs cheveux noirs et la gravité de son intonation confèrent aux mots une aura sacrée. Un soir, elle vient chez moi, dans cet immeuble moderne de la banlieue où Ximena m'a fait honte d'habiter. Nous passons la nuit à lire Claudel. *L'annonce faite à Marie.* La voix de Claire est si pure qu'elle me donne à nouveau la foi. Je crois en la beauté, je crois en l'amour, mais un amour spirituel, un amour des âmes. Je vois la tache noire de lèpre sur le bras de Marie. La nuit entière nous parlons et récitons des vers. À l'aube nous allons sur le balcon voir le soleil se lever au-dessus des collines de Sèvres et de Saint-Cloud et nous parlons de Marguerite Duras, de son écriture que Claire appelle « une écriture du silence ». Une nuit blanche dont Ximena ne sait rien, même si elle s'est rendu compte de mon attirance pour Claire et lui témoigne une amitié protectrice pour se rapprocher d'elle et déjouer tout danger. Ximena ne passerait jamais une nuit à réciter des poèmes. Si elle savait ce que j'ai fait, elle se moquerait de moi. Sa dérision ne m'atteint plus.

Et je tombe amoureuse. Un matin j'entre dans la salle de classe. Un garçon assis sur une table me sourit. David. Son sourire qui plisse ses yeux clairs derrière ses lunettes me pénètre et m'atteint en un endroit très sensible. Ce jour-là je m'assieds à côté de lui. En classe nous ne nous quitterons plus. Pendant plus d'un an je l'aimerai d'un amour passionné, platonique et non réciproque. David n'est pas comme les garçons idiots que je cachais à Ximena autrefois. Un mot de lui me fascine davantage qu'un discours de Ximena. J'ai compris qu'elle ne proférait pas la vérité. Je ne crois plus en elle. J'ai juste peur de sa colère, et peur de la blesser.

Ximena a réussi à s'approprier Claire en lui manifestant une affection flatteuse. David résiste. Elle ne l'impressionne pas. Il se méfie d'elle. Il ne l'aime guère. À l'heure du déjeuner, je rêve d'entrer dans les cafés où David mange un sandwich avec d'autres camarades et de prendre place sur une banquette de moleskine à côté de lui. L'écouter, le voir, c'est tout ce que je demande. Mais il n'en est pas question. Entre une heure et deux heures, hiver comme été, qu'il pleuve ou qu'il vente, il faut marcher dans les rues du Quartier latin avec Ximena. Marcher, parler. Il suffit que nous tombions par hasard sur David et qu'elle sente l'intérêt qu'il éveille en moi pour qu'elle retrousse les babines, prête à mordre. À une fête chez un camarade de classe où je me suis assise près de David qui parle avec une autre fille, Ximena s'approche. Elle interrompt sa conversation avec la fille et le contredit, sans qu'il lui ait rien demandé. Est-elle irritée par ma présence passive et silencieuse aux côtés de David? Par mon manque de fierté, quand une autre fille vient le draguer sous mes yeux? Veut-elle l'aliéner pour qu'il s'éloigne de moi? Il se tourne vers moi et articule clairement :

«Marie, tu peux emmener ton amie ailleurs?»

«Ton amie.» Il ne la nomme même pas. Son mépris pour Ximena déteint sur moi qui suis son amie. Vacillant sous l'humiliation, je me lève pour aller pleurer aux toilettes.

Mais qu'importe, puisque mon désir est là. Ximena me guette, me surveille. Je ruse pour lui échapper. Il y a les longues journées de cours, heureusement, où je peux librement m'asseoir à côté de David puisque Ximena n'est pas dans ma classe. Et je m'arrange pour voir David seul en lui proposant de faire du latin avec lui, parce qu'il n'est pas bon dans cette matière. Le travail me fournit un prétexte pour aller chez lui sans que Ximena y trouve à redire.

Mon désir m'éloigne de plus en plus de Ximena tandis qu'elle resserre de plus en plus sa pression sur moi. Ce jeudi de février où je retourne en cours après une semaine de vacances et après avoir manqué trois jours de classe et trois rendez-vous de huit heures moins vingt sur le quai de métro sans avoir prévenu Ximena, quand elle vient à ma rencontre sur la galerie devant les salles alors qu'on sort de cours à une heure et s'exclame, l'air ironique et agacé, plein de ce jugement qu'elle semble sans cesse exercer contre moi : «Ah! Te voilà! Qu'est-ce que tu fichais?», je suis presque heureuse de pouvoir lui répondre, tandis que les larmes dégoulinent déjà sur mes joues :

«Thomas est mort.»

Presque heureuse de voir sur son visage l'expression de stupéfaction : je peux donc encore la surprendre, moi qu'elle connaît par cœur. L'ironie disparaît de ses traits, remplacée par une compassion pure tandis qu'elle m'ouvre ses bras et me serre contre elle. Presque heureuse, oui, soulagée, ce cinquième matin après la mort de mon neveu de quatre mois, d'avoir une réponse qui la dépasse, une réponse qui la laisse sans réplique, qui me permette enfin de ne pas être jugée par elle, moi, ma mollesse, mon romantisme ridicule, mes bassesses et mes mesquineries, mes petites trahisons, mes désirs honteux, mon indélicatesse, tout ce qu'elle réprouve chez moi et qu'elle nommera d'un mot, l'année d'après, quand nous serons au bord de la rupture, quand elle sentira que je lui échappe à jamais : le «mariesque». «Thomas est mort.» Ça lui en bouche un coin. Depuis trois jours je ne suis pas sur le quai du métro à huit heures moins vingt, son irritation à mon égard a eu le temps de monter, c'est du Marie tout craché s'est-elle dit, elle doit avoir un rhume ou je ne sais quelle autre mièvrerie, elle n'est même pas fichue de m'appeler, elle joue à la princesse, il faudra la rappeler à l'ordre. Mais voilà : «Thomas est mort.» Quelque chose s'est passé qui échappe à son contrôle tout comme mon désir, quelque chose d'avouable contrairement à mon désir, quelque chose devant quoi elle s'incline, elle qui a réponse à tout. Quelque chose qui la rend infiniment triste, la mort d'un petit bébé, la mort de l'enfant de ma sœur qu'elle n'aime guère depuis qu'elle l'a vue nous crier hystériquement après autrefois. Mais c'est ma sœur, du même sang que moi, de la même chair, mère à vingt et un ans d'un tout petit garçon né cet automne, auteur d'un miracle que Ximena a vu, sur lequel elle s'est attendrie, un être vivant, réel, tellement plus réel que toutes nos dissertations et nos thèmes de grec et de latin : et maintenant il est mort. Et cette douleur-là, ma douleur, pour une fois elle ne peut pas la tourner en dérision. C'est une douleur dont la cause se trouve hors de moi, dont l'objet est réel. «Thomas est mort.»

Il a fallu cela, la mort de l'enfant, pour que j'échappe enfin au jugement du Dieu verbe tout-puissant.

X

Dieu. Ce jour-là, j'ai cru en lui. C'est la dernière fois, sans doute, que j'ai cru en lui, le Dieu de mon enfance, qui voit, qui sauve, ou qui punit. J'étais chez ma sœur pour les vacances. Elle avait à peine vingt-deux ans, et moi dix-huit. Nous ne nous haïssions plus depuis qu'elle avait eu un enfant, depuis qu'elle était venue me chercher à l'aéroport à mon retour de Grèce en juillet, avec cet énorme ventre que je n'avais même pas remarqué sous sa robe. Un bébé dont elle avait découvert la présence en elle alors qu'elle était enceinte de presque six mois, elle qui n'avait jamais eu ses règles et se croyait stérile. Un bébé dont elle avait décidé de quitter le père juste avant d'apprendre qu'elle était enceinte, son petit ami depuis qu'elle avait dix-huit ans, qu'elle savait ne plus aimer. Du coup ils sont restés ensemble, car qu'aurait-elle fait seule avec un bébé ? Il finissait son service militaire en Allemagne quand l'enfant est né, en octobre, dans une clinique de la banlieue parisienne.

Pendant l'été il y avait encore eu une dispute entre ma sœur et moi, une dispute de sœurs, la dernière sans doute, quand notre mère m'avait donné une jupe et que ma sœur enceinte de sept mois et demi, énorme, avait hurlé qu'on ne lui donnait jamais rien, à elle, que tout était pour moi. Mais ensuite l'enfant était né et ma sœur n'était plus juste ma sœur, elle était la mère d'un autre être, un tout petit bébé sorti d'elle, de son corps, de son sang, existant en dehors d'elle, en dehors de nous. En février je suis allée chez eux, en Bretagne, dans la maison près de Brest qu'ils louaient depuis quelques mois. Le bébé hurlait longtemps après son biberon et régurgitait le lait qu'il digérait très mal. Il avait une malformation de l'intestin : il faudrait sans doute l'opérer. Si petit. Quand je l'ai regardé, ce nouveau-né plein d'acné, une immense pitié est descendue en moi pour lui qui était né de ma sœur si jeune, si insatisfaite et si pleine de contradictions, et d'un homme que, je le savais, elle n'aimait plus. Le lendemain, quand ma sœur et moi nous sommes promenées sur la plage avec le bébé bien au chaud contre mon ventre dans le kangourou, quand elle m'a confié qu'elle n'était pas heureuse, qu'il y avait un autre homme à Paris dont elle était amoureuse, un homme marié, une peur horrible m'a saisie devant ces drames que la légèreté de ma sœur allait provoquer, un enfant qui allait perdre son père, un jeune père amoureux d'elle, soucieux de son enfant, qui ne savait pas encore que la mère en son cœur l'avait déjà quitté. Cela m'a semblé infiniment injuste.

«Anne, ai-je dit, il est temps que tu cesses de croire aux contes de fées. Tu n'es pas réaliste. Tu as un bébé, un homme dans ta vie, tu fais des études qui t'intéressent, ne gâche pas tout à cause d'un homme dont tu dis toi-même qu'il n'est pas prêt à s'engager avec toi ! Ne vois-tu pas que tu désires seulement ce qui t'échappe ? Rappelle-toi combien tu as aimé le père de ton bébé, quand tu n'étais pas encore sûre de son amour pour toi. »

Elle a poussé un soupir tout en m'écoutant l'air contrit, moi la sage, de trois ans et demi sa cadette. Elle a dit que j'avais raison : elle devait cesser de rêver, et apprendre à se satisfaire de ce qu'elle avait. Nous sommes rentrées à la maison. Le bébé a bu son biberon et s'est mis à hurler. Son père lui a fait faire son rot puis l'a couché avant de sortir pour aller au supermarché. Il pleurait toujours. Je révisais mon grec dans la petite chambre sous les toits, tout en entendant les hurlements du bébé. Son père avait dit qu'il fallait le laisser crier : il finirait par s'endormir. À le lever dès qu'il pleurait, on risquait d'entrer dans un cycle de caprices dont on ne sortirait pas. Les pleurs ont résonné longtemps dans le silence de la maison, tandis que je travaillais là-haut et que ma sœur révisait un examen de biologie. Pour lui laisser plus de temps, j'avais proposé de donner le biberon au bébé, après sa sieste.

J'ai regardé ma montre. À quatre heures, il n'appelait pas encore, on n'entendait pas un bruit, mais je suis descendue dans la chambre où il reposait. Il dormait encore, tout petit dans le berceau de bois qui avait servi à son père enfant, tout mignon dans sa grenouillère en velours à raies bleu ciel et blanches. J'ai doucement caressé sa menotte et sa joue chaude. Il n'a pas réagi. Étonnée qu'il n'émerge pas de ce profond sommeil, je l'ai pris sous les aisselles et soulevé dans mes mains. Quand son visage s'est décollé de l'oreiller blanc, un long filet de lait caillé, ou de vomi, a lié sa bouche à la taie. J'ai placé contre mon épaule le petit corps chaud. Au lieu de rester droite, sa tête est tombée sur le côté. Il ne s'est pas réveillé. J'ai crié le nom de ma sœur. Juste une fois, mais très fort, et dans une peur immense. Elle a monté quatre à quatre l'escalier de bois. Je n'ai pas pensé une seconde qu'il était mort, qu'un petit être vivant qu'on couchait pour sa sieste pouvait ne pas se réveiller. Ma sœur a bondi dans la chambre. Elle l'a pris dans ses bras. Elle a dit :

« Il est mort.

— Mais non ! ai-je crié. Tu es folle ! Ne dis pas ça ! On ne meurt pas comme ça ! Il est évanoui. »

J'ai composé le numéro des urgences et parlé à l'opératrice pendant qu'elle posait Thomas sur le lit et se penchait sur lui, couvrant la toute petite bouche de la sienne, aspirant, expirant, sans arrêter. J'avais envie de passer mon poing à travers la fenêtre. J'ai entendu, au loin, la sirène des pompiers. Je suis sortie de la chambre pour aller leur ouvrir. C'est là, dans le couloir menant à la porte d'entrée, que je suis tombée à genoux et, joignant les mains, ai cru une dernière fois au Dieu de mon enfance :

« Dieu, faites qu'il ne soit pas mort ! »

Une heure après, je suis allée ouvrir la porte au père du bébé quand il est rentré, tout sourire, avec ses sacs pleins de provisions et un bouquet de fleurs pour la Saint-Valentin. Il a vu mon visage baigné de larmes. Son sourire s'est effacé aussitôt. La première chose qu'il a dite :

« Je l'ai tué. »

Il était étudiant en médecine. Il savait qu'on ne devait pas coucher un nouveau-né sur le ventre avec un oreiller. Il l'avait fait à cause des douleurs du bébé, pour le soulager. Maintenant il se croyait l'assassin, malgré le médecin qui lui dirait ensuite :

« Un enfant de quatre mois et demi peut se soulever sur ses bras. »

Ma sœur n'avait pas versé une seule larme. Après le départ du SAMU elle était restée debout dans sa chambre et se tenait le ventre en regardant le cadavre allongé sur le lit, son bébé qui n'était plus rien, juste une enveloppe vide. Elle disait :

« Ça fait mal. J'ai mal. »

Elle avait mal, physiquement, là où elle avait porté l'enfant, comme si quelqu'un l'avait bourrée de coups de poing. Le papa du bébé, lui, a pleuré aussitôt, et n'a plus cessé de pleurer jusqu'à l'enterrement. Le soir, ce premier soir qui a suivi la mort de Thomas, au moment de me coucher je me suis mise à hurler :

« Pourquoi ? Pourquoi ? »

Mes hurlements ont rempli la maison silencieuse, remplacé les autres cris dont on n'entendait plus que l'absence. Ma sœur et le papa du bébé m'ont tenue dans leurs bras, m'ont donné des somnifères, m'ont dit qu'il n'y avait pas de réponse et que c'était ainsi.

XI

La mort de Thomas. Elle a tout changé. «Le Réel», nous avait donné pour sujet de dissertation notre professeur de philosophie d'hypokhâgne, un homme très intelligent qui me terrifiait. C'était avant la mort de Thomas. J'avais essayé de dire, sur le Réel, ce sujet qui ne m'inspirait rien et dont la lettre majuscule m'effrayait comme un sac trop lourd à porter pour moi, des choses qui avaient l'air philosophiques et intelligentes. Autrement dit : n'importe quoi. Je n'oublierai jamais le jour où le professeur a rendu nos dissertations et le mépris avec lequel il a jeté ma copie sur ma table, sans un mot, sans un regard sur moi. Ma note, 5 sur 20, devait être la plus basse. Il a rendu en dernier la copie de David, qui était la meilleure, et à qui il avait à peine osé attribuer 20 sur 20.

«Je ne me sens pas le droit de vous noter», lui a-t-il dit en s'arrêtant devant notre table, s'adressant à David avec un infini respect, sans même sembler me voir, moi qui me trouvais assise à côté. «J'ai hésité à mettre des commentaires en marge. Votre dissertation est un essai qui pourrait être publié dans une revue philosophique. Je ne voulais pas… l'abîmer.»

Quand, après avoir parlé à David plus de dix minutes, le professeur s'est éloigné, David s'est tourné vers moi et m'a souri affectueusement en me touchant le bras. Sa compassion m'a encore plus horrifiée que le mépris du professeur. À la pause je suis allée vomir aux toilettes. Pendant la deuxième heure de cours, David a essayé de me distraire en me montrant un livre d'art qu'il avait sorti de son cartable. Mon regard était fixé sur les reproductions. Je tentais de disparaître dans le livre pour échapper à la honte de ma nullité quand le professeur s'est planté devant moi et s'est emparé de l'épais volume, qu'il est allé poser sur son bureau, en silence, tandis que tous les élèves levaient la tête, effrayés, conscients qu'un orage s'approchait. Le professeur s'est retourné. Son regard a glissé sur moi, sa moue de mépris m'a éclaboussée comme un jet de salive et il a lancé une interjection qui s'adressait à moi et à personne :

«Quand on a 5 en philo, la moindre des politesses consiste à écouter le cours de son professeur.»

Ou quelque chose comme ça. David avait l'air de plus en plus désolé.

Depuis la mort de Thomas, plus personne n'a ce pouvoir sur moi. Plus aucun professeur ne me fait peur. Je me moque d'eux, de tout. Quelle importance, ma nullité, un devoir de philosophie? Nous enculons des mouches, voilà tout. Le Réel n'a qu'une face : celle d'un tout petit cadavre en pyjama de velours rayé sur un grand lit devant lequel une jeune fille de vingt-deux ans se tient le ventre. C'est un Réel devant lequel tous s'inclinent. Je le vois bien, le jour où je passe une colle de français, deux mois après la mort de Thomas, et m'effondre devant le professeur peu satisfait de ma prestation. Il est prêt à me corriger, mais je lui dis que je ne pleure pas à cause de cet oral, que je m'en moque, que mon neveu est mort. Il se tait, grave. Je crois même qu'il prononce ces mots interdits en ce lieu de compétition sans tendresse : « Mon petit. » Sa compassion facile m'est indifférente. Mais je suis furieuse contre moi qui encore une fois n'ai pas su me retenir, qui ai sali la mort de mon neveu en l'évoquant dans un lieu qui lui est étranger.

La mort de Thomas est devenue la pierre de touche de toutes mes pensées et de mes sentiments. Je sais que plus jamais je ne pourrai haïr ma sœur. La douleur dans laquelle je l'ai vue a effacé d'un trait les mesquineries de nos disputes et les jalousies enfantines. C'est à cause de Thomas que je cesse d'aimer David. Le mercredi après l'enterrement, je fais du latin chez lui comme tous les mercredis, dans son appartement où chaque objet, depuis un an que j'y viens, m'emplit d'une vénération fétichiste. Il me dit qu'il est désolé pour mon neveu, et pour la première fois il me demande comment je vais. Je lui raconte la mort de Thomas et je pleure. Quand je m'en vais ce jour-là, je pleure dans l'escalier comme tous les mercredis en sortant de chez lui, mais je ne pleure pas de dépit amoureux. Je pleure parce que je me hais d'avoir pleuré devant David et d'avoir utilisé la mort de Thomas pour susciter sa compassion à défaut de son désir.

Ce jour-là, je sais que plus jamais je ne retournerai chez David. Le lendemain quand j'arrive en cours, pour la première fois depuis un an je ne vais pas m'asseoir à côté de lui, à cette place que personne n'oserait prendre parce qu'on sait que c'est la mienne et que nous sommes toujours côte à côte. Je m'assieds seule au premier rang, plantant David là, sans lui expliquer pourquoi je fais cela, ne lui parlant plus, comme si nous nous étions brouillés alors que rien ne s'est passé. Le rien s'est passé, justement.

Pendant un an, je parle de Thomas à toutes les personnes que je rencontre. Je raconte le petit corps endormi dans son berceau, le filet de vomi quand je l'ai levé, la tête qui tombe contre mon épaule, le moment où j'ai crié le nom de ma sœur, ses mots dès qu'elle l'a vu, «Il est mort», ces mots auxquels je n'ai pas pu croire. Je ne raconte pas cela pour me rendre intéressante, mais parce que je ne vois pas ce qu'il y a d'autre à dire, et que je cherche une réponse à la question que j'ai posée le soir de sa mort : «Pourquoi?» Le matin qui a suivi, quand je me suis réveillée après un sommeil causé par les somnifères et suis descendue dans le salon, je les ai vus, tous les deux assis côte à côte sur le canapé, ma sœur et le papa du bébé, enlacés, enfin ensemble. Ils étaient pâles, ils avaient des cernes et les yeux tout petits d'avoir tant pleuré. Il y avait un homme avec eux : un prêtre habillé en civil, reconnaissable à son col noir et sa croix. Ma sœur m'a dit avec un sourire :

«Thomas est un petit ange dans le ciel, et il nous a envoyé un message : on va se marier et faire un autre enfant.»

Un petit ange dans le ciel. J'ai tout de suite compris que les mots venaient du prêtre, et que c'étaient les seuls qui permettaient de supporter l'insupportable. Pas un cadavre, pas un corps vide, un sac sans rien dedans. Un petit ange dans le ciel. Ma sœur n'avait pas le choix. J'ai su aussi que je n'y croyais pas. Il n'y avait rien d'autre qu'une disparition. Rien d'autre que le rien.

Pendant un an je rêve de bébés qui meurent, qu'il faut secouer pour les ressusciter, et qui se remettent à mourir dès qu'on ne les secoue plus. Je cesse de voir ceux qui ne m'écoutent pas jusqu'au bout, ceux qui passent à un autre sujet, ceux qui n'essaient pas de m'apporter une réponse. Ximena est là, patiente, soudain humanisée, qui me voit pleurer, qui pose la main sur mon épaule, qui ne juge pas et qui dit :

«Le temps, Marie. Il faut laisser le temps au temps.»

Je ne cesse de me cogner au mur de la même question : pourquoi, pourquoi, pourquoi. Quatre mois après la mort de Thomas, un soir, dans la maison de campagne d'une camarade qui nous a invitées à passer une semaine chez elle pour y réviser, je me mets à pleurer. Ximena a l'habitude. Elle me tend un mouchoir. C'est ce soir-là que j'avoue à Ximena ma peur d'être en train d'utiliser la mort de Thomas pour me mettre en valeur. Je me hais comme je me haïssais il y a quatre ans, je me hais d'attirer l'attention sur moi, de ne pas savoir souffrir en silence. Je hais la place que je prends dans le monde. Ce n'est pas seulement la mort de Thomas qui me fait souffrir, c'est le mépris que j'ai pour moi : et cela m'horrifie. Je ne peux pas m'oublier. Ximena hoche la tête. Je reconnais sa moue sarcastique, miroir qui me renvoie l'image de mon ignominie. Avec la mort de Thomas, j'étais devenue une autre : elle respectait ma douleur, elle se taisait devant cette chose, la mort, qui nous dépassait toutes les deux. Mon aveu vient d'ouvrir une petite porte qui lui permet de se glisser à nouveau en terrain connu : moi. Son regard se fait soudain plus sévère, comme avant la mort de Thomas, quand elle jugeait mes défauts. Ce soir-là, enfermée dans la salle de bains de la maison de campagne, je sanglote en cognant ma tête contre le carrelage, pour assommer ma douleur par ces coups répétés. Je sais ce que Ximena pense, de l'autre côté de la porte fermée : une hystérique. Une sale hystérique qui, même devant le cadavre d'un bébé de quatre mois, ne sait pas s'oublier. Il n'y a rien à dire. C'est laid. C'est le mal.

C'est de Thomas que je parle à la psychanalyste dont je garde les enfants cet été-là et dont je tombe amoureuse, et qui, après m'avoir vue sangloter parce qu'un bébé est mort, me pose cette question qui me stupéfie : « Marie, est-ce que tu as déjà fait l'amour ? », comme si le Réel, c'était mon corps et mon sexe, pas le bébé qui est mort, pas son cadavre sur le lit. C'est de Thomas que je parle à l'homme marié que je rencontre à Vienne dans un bar, un mois après, et qui devient mon premier amant. Je ne le désire pas mais je lui fais confiance, ce bel homme blond vêtu d'un élégant costume gris qui a su m'écouter, père d'un petit garçon et d'une petite fille de trois ans née le même jour que moi. Je l'ai choisi pour me débarrasser de ma virginité et me faire entrer dans le Réel. Et je sens, quand je retourne à Paris en septembre, que j'ai déjà plus de force et qu'il y a entre moi et moi, entre moi et ma haine de moi, la tendresse paternelle de Walter et sa conviction que je vais m'en sortir. C'est cette force qui me donne le courage de dire non à Ximena quand elle veut rentrer en métro avec moi après les cours.

«J'ai envie d'aller lire au Luxembourg.

— Tu veux aller au Luxembourg? Bon. Allons-y.

— J'ai envie d'y aller seule, Ximena. J'ai envie de lire.

— Seule? N'importe quoi. Pour lire quoi?

— Goethe.

— Goethe! J'aurais dû m'en douter. Tu es de plus en plus mariesque, Marie. On ne pourra plus te laisser aller en Autriche si tu en reviens avec ce romantisme à l'eau de rose.»

XII

La réponse, c'est Samuel qui me la donnera quelques mois plus tard. Samuel entre dans ma vie par Thomas. Il est dans la classe de Ximena. Mes parents connaissent les siens mais je ne l'ai jamais remarqué, parce qu'il n'est pas mon genre : trop petit, le nez épaté, la mâchoire proéminente. Je ne le trouve pas beau. Il n'est pas un danger. Ximena le sent, qui me laisse librement bavarder avec lui dans le couloir à la récréation. Comme nous sommes pour ainsi dire liés par la relation sociale de nos parents, il me propose poliment d'aller au cinéma avec lui. J'accepte, flattée de passer une soirée avec le meilleur en philo de la classe de Ximena.

Un samedi soir, nous allons voir un film à l'Odéon. En sortant du cinéma, comme nous sommes des étudiants sans le sou, au lieu de manger au restaurant nous achetons une crêpe complète à un kiosque sur le boulevard Saint-Michel. Nous nous promenons le long de la Seine en direction de la banlieue où j'habite. Nous parlons et nous découvrons des intérêts communs. Nous marchons sans sentir la fatigue jusqu'à Franklin-Roosevelt où je repère un bar avec de confortables fauteuils et propose à Samuel d'y entrer boire un verre. Quand il ôte son manteau, je m'aperçois qu'il s'est fait beau pour sortir avec moi, comme un jeune homme de province sans notion de la mode. Il porte une chemise en nylon à col dur, une cravate aux tons sombres et un veston qui lui donnent l'air vieux et triste, à lui qui n'a que dix-neuf ans. Il y a quelque chose de pathétique dans son effort d'élégance. On dirait — sans la beauté — Lucien Chardon habillé comme un épicier endimanché le soir où il rejoint Mme de Bargeton à l'Opéra pour la première fois. On sent le garçon qui passe sa vie dans les livres et n'est encore jamais sorti avec une fille. Son physique, son accoutrement, tout confirme mon absence d'attirance.

Mais il écoute bien. Il est facile de lui parler de moi. C'est là, devant un gin tonic, vers minuit ou une heure du matin, que je lui raconte la mort de Thomas. Samuel fixe sur moi ses grands yeux sombres aux longs cils. Il a l'air grave. Ma voix tremble. Je ne peux pas m'empêcher de pleurer quand je décris le petit corps sur le lit, ma sœur penchée sur lui pour le bouche-à-bouche, l'arrivée du SAMU et les mots de l'infirmier : « C'est trop tard. » Samuel ne passe pas son bras autour de moi pour me consoler. Mon émotion ne se communique pas à lui. C'est la colère qui se lit sur ses traits. Il parle avec des gestes énergiques des mains tout en fronçant ses épais sourcils. Il dit une chose que je n'ai pas encore entendue et qui me remplit de stupeur :

« La mort n'existe pas, Marie. Tu n'as pas le droit de pleurer. Tu es dans la vie. »

Ce n'est sans doute pas ces mots-là qu'il a prononcés. Ce n'est peut-être même pas son idée. Seules comptent la vigueur de sa parole et l'intensité de ses yeux. Son énergie. Sa colère. Son refus de tomber dans le trou du fond duquel je parle et où je tente de l'attirer. Son absence totale d'indifférence et de compassion larmoyante. Le courage avec lequel il saisit ma main pour me hisser vers lui. La force de la main qu'il me tend. Jamais personne ne m'a dit cela avec une telle conviction, que la mort n'était pas la vie. Quelque chose distingue Samuel de tous ceux que j'ai rencontrés depuis que Thomas est mort : la foi. Ce n'est pas une foi religieuse, même s'il a eu comme moi une éducation religieuse, juive au lieu de catholique, et qu'il a fait sa bar-mitsva. Il ne va plus à la synagogue, comme je ne vais plus à l'église. Mais il croit. C'est cela qui rayonne dans l'éclat magnétique de ses grands yeux bruns : la foi. Une foi en la vie, peut-être. Quelque chose de si puissant que je n'ai pas envie, ce soir-là, de quitter Samuel.

Quand, vers deux heures du matin, je rencontre aux toilettes une femme plus âgée qui m'apprend qu'il existe sous le bar un dancing privé dont son mari est membre et qui m'invite à les y accompagner, nous les suivons, Samuel et moi. Nous nous retrouvons dans le dancing désert en compagnie du couple d'âge mûr et très saoul. Nous commandons des whisky-coca en nous regardant avec un sourire inquiet, prêts à nous enfuir en courant si le couple ne se charge pas de l'addition, car nous n'avons plus un sou pour payer. La femme s'empare de Samuel pour danser avec lui, plus grande que lui sur ses talons hauts, s'effondrant à moitié dans ses bras tandis qu'il la soutient, l'insultant et se moquant de lui quand il lui marche sur les pieds. La vulgarité du couple multipliant les allusions à nos amours charnelles aurait de quoi dissoudre notre amitié naissante, s'il n'y avait déjà entre Samuel et moi un lien que le ridicule de la situation, et même l'absence d'accord entre nos corps quand il m'invite à danser, ne peuvent tuer. Quand nous nous retrouvons dehors à quatre heures du matin sans un sou pour payer un taxi, je suis Samuel jusqu'à sa chambre de bonne au Quartier latin, plus proche que la banlieue où habitent mes parents. Nous y arrivons épuisés après une heure et demie de marche. Avec une parfaite galanterie, il me cède son lit une place et se couche à même le plancher. Je ne pense pas un instant que ce garçon sérieux, intense, bien éduqué et mal habillé, sera mon premier grand amour. Sans doute ne le serait-il jamais devenu s'il n'avait, cette nuit-là, refusé de compatir.

Cette force qu'il avait dans ses yeux, dans sa voix, il l'avait aussi dans son corps, dans l'énergie de son désir, dans ce sexe que j'ai touché trois semaines plus tard sans savoir, moi qui étais encore presque vierge, qu'il était un des plus gros possibles. Je l'ai invité à dîner chez moi un soir où mes parents étaient sortis. Lui qui physiquement n'était pas mon genre était devenu, par l'intensité de sa parole, un objet possible de désir. Je portais une robe bleu roi à manches longues avec un col Mao orné de broderies roumaines. Je n'avais rien mis sous ma robe. Ni slip, ni soutien-gorge. C'était la première fois que j'invitais un garçon à dîner chez moi en tête à tête, et la première fois que je ne portais rien sous ma robe.

Quand mes parents sont rentrés à minuit, nous étions toujours en train de discuter dans le salon, assis sur deux canapés. Toute la nuit nous avons parlé comme, deux ans plus tôt, j'avais passé la nuit entière à parler avec Claire. La différence, c'est que tout ce temps je suis restée consciente de mon corps, nu sous la robe et librement offert, si près de lui qui ne le savait pas encore. J'avais un désir : qu'il pose sa main sur mon corps comme il avait posé sa voix sur mon âme, avec la même force et la même certitude. Alors que les premières lueurs de l'aube éclaircissaient le ciel, tandis que mes parents et mes petits frères dormaient, Samuel m'a suivie dans ma chambre. Nous nous sommes allongés sur mon lit, nous nous sommes embrassés, puis sa main s'est approchée de ma hanche. Elle a touché mon corps à travers la robe, elle est descendue vers mes jambes, elle a effleuré la peau nue, elle est remontée sous la robe le long de la cuisse, elle a découvert qu'aucun obstacle ne s'opposait à elle. Sa main a eu un imperceptible tressaillement de surprise, et sa paume a glissé sur ma hanche avec une incroyable douceur. Il a ôté son pantalon, et j'ai pris son sexe dans ma main. Il a jailli entre mes doigts. Il m'a quittée au petit matin, alors que je m'endormais. Je me suis réveillée sereine, heureuse et amoureuse.

Notre amour fut physique, et passionné. C'est dans les bras l'un de l'autre que nous avons découvert le plaisir. Samuel a pris la place de Ximena, au grand jour, sans qu'elle puisse rien faire d'autre que le couvrir d'invectives dans son dos. Un après-midi, pour la troisième fois depuis sept ans que nous étions amies, j'ai dit à Ximena que je voulais lui parler. Ce que j'avais à lui dire n'était pas un aveu ni une supplication. C'était l'annonce d'un divorce.

« Ximena, tu ne peux pas insulter Samuel. C'est mon petit ami. Nous sommes ensemble. Tu comprends ? Tu dois me laisser tranquille. Ton amitié est lourde. Cela fait longtemps que j'éprouve le désir de m'en libérer. »

Sur son visage, il y avait la même pâleur que le jour où je lui avais avoué mon amour pour Madame Brasier. J'ai senti que mes mots s'enfonçaient en elle comme des aiguilles dans une poupée de cire. Non seulement je la quittais à jamais, mais j'accusais son amitié d'être devenue une prison dont j'étais heureuse de sortir. Sa souffrance n'était plus mon affaire. J'étais dans le Réel. Le Réel, c'était cela : la vie qui se construit sur les cadavres de ceux qu'on laisse derrière soi. Il y avait dans le Réel une dureté et un égoïsme qui m'ont permis de me moquer de Samuel quand j'ai découvert qu'il faisait du bénévolat dans une organisation juive charitable qui distribuait de la nourriture aux pauvres et luttait contre la torture.

« Laisse cela aux faibles et aux humanistes, lui ai-je dit du haut de l'arrogance que j'avais héritée de Ximena. Nous sommes jeunes : jouis de la vie avec moi. »

XIII

Nous avions dix-neuf ans, bientôt vingt. Pour la première fois il y avait un garçon dans ma vie, que je ne
me cachais pas d'aimer. En sortant de cours, nous nous
retrouvions devant le lycée. Ximena partait seule de son
côté. Elle n'avait plus son mot à dire. J'étais avec Samuel.
Nous remontions la rue Saint-Jacques, main dans la main,
vers la petite chambre de bonne au septième étage où
j'avais dormi la première nuit et l'avais regardé ôter sa
cravate affreuse et sa chemise en mélange de nylon et
coton en constatant que, sous cet attirail, il avait la peau
mate, un torse lisse et des bras musclés. Dans la petite
chambre, nous prétendions travailler — il y avait tant de
travail, et un concours à préparer — mais nous finissions
toujours par nous allonger côte à côte sur le lit une place
ou sur le plancher et nos mains cherchaient notre peau,
nous nous caressions, nous nous embrassions pendant
des heures, passionnément, nous nous faisions jouir, son
énorme sexe dans ma main, mon sexe sous ses doigts.
Nous ne faisions pas l'amour, pas encore. Il y avait la peur
d'une grossesse — je ne prenais pas la pilule — et il y
avait la peur de l'acte. Samuel ne l'avait jamais fait. Un

soir, allongée sur le plancher, j'ai écarté les cuisses et je lui ai dit que j'étais prête, je lui ai demandé de venir en moi, mais son sexe, grand et large, n'a pu se glisser dans l'étroite ouverture de mes lèvres. Il y avait là une impossibilité physique, une question que nous remettions à plus tard. Chaque nuit nous nous endormions nus lovés l'un contre l'autre et, quand je me réveillais à sept heures, Samuel dormait encore mais son sexe était tendu contre la peau de mes fesses.

Tous les soirs. Il n'était plus possible d'envisager de se séparer, même pour une nuit. J'avais trouvé ma moitié. J'étais une amoureuse exclusive, absolue, passionnée, fusionnelle. En avril, quand Samuel est parti en vacances avec sa famille, notre amour était encore trop neuf pour qu'il m'invite à le rejoindre mais il m'a laissé la clef de sa petite chambre, notre sanctuaire d'amour qu'en son absence j'ai transformé en nid. Le soir de son retour je l'ai attendu, nue, allongée sur le lit de la chambrette métamorphosée, mais la porte ne s'est pas ouverte. À onze heures je me suis rhabillée, j'ai descendu les sept étages, j'ai marché jusqu'à une cabine publique et j'ai composé le numéro de ses parents que je n'avais jamais rencontrés et allais sans doute réveiller. Une voix d'homme, endormie, m'a répondu. J'ai demandé à parler à Samuel. J'ai entendu son père l'appeler. Il était là, donc, et vivant. Une minute après sa voix a résonné dans l'écouteur.

« Marie ?

— Qu'est-ce que tu fais ? Je t'attends ! Pourquoi tu n'es pas venu ?

— Ce soir ce n'était pas possible, a-t-il répondu d'une

voix étrangement distante, que j'ai à peine reconnue. Il faut nous voir moins souvent, Marie. Il y a le concours à préparer.»

Au téléphone, dans la cabine, je me suis mise à hurler. À hurler comme une folle. Je lui ai dit que s'il ne venait pas me rejoindre à l'instant j'allais me jeter sous une voiture du boulevard Saint-Michel.

«Je viens, a-t-il dit. Attends-moi.»

Je titubais en sortant de la cabine. Cet homme à qui je n'avais cessé de penser pendant quinze jours et quinze nuits, pour qui j'avais cousu des coussins afin de transformer son gîte en palais, pour qui je m'étais préparée ce soir et que je n'aurais même pas pensé à désirer s'il ne m'avait fait cadeau de sa parole et de sa force magnétique, cet homme dont le désir m'était échu comme un cadeau gratuit osait maintenant s'éloigner de moi, me quitter — car cette distance ne pouvait signifier qu'une rupture! Comment pouvait-il me faire ça, lui à qui j'avais confié ma souffrance, lui qui était mon sauveur? Il n'en avait pas le droit.

Je l'ai attendu, recroquevillée sur la marche devant l'entrée de l'immeuble. Il est venu me chercher dans la voiture de sa mère et m'a emmenée chez ses parents. Pendant les mois qui ont suivi, il a plusieurs fois tenté de me raisonner. Il fallait se voir moins, ou cesser de se voir, jusqu'au concours. Chaque fois il s'est heurté à ma douleur sauvage et mes menaces de suicide. Il n'avait pas le droit de s'éloigner, pas le droit de m'abandonner. Quand, la semaine précédant le concours, il s'est réfugié pour réviser dans la maison de campagne d'un ami, j'ai pris le train le soir même, hystérique et hurlante. Il ne pouvait y avoir aucune distance entre nos corps. Entre nous, il y avait cela : nos corps nus qui se rejoignaient, le désir brut qui ne mentait pas, la fusion des corps, le besoin de combler le vide par les corps. Samuel devait être là à tout instant pour me protéger, pour mettre ses bras autour de moi, sa langue dans ma bouche, et, plus tard, quand nous saurions enfin faire l'amour, pour me remplir de son énorme sexe. Une nuit, dans sa petite chambre d'étudiant, un an après le début de nos amours, alors que nous étions au lit et nous endormions serrés l'un contre l'autre, les larmes se sont mises à couler de mes yeux en silence.

« Qu'est-ce qu'il y a ? » m'a demandé Samuel inquiet.

Mais il n'y avait rien, rien d'autre qu'une grande tristesse, une angoisse du vide, une terreur des bébés qui meurent.

« S'il te plaît, Samuel, fais-moi l'amour. »

Il voyait bien que je n'en avais pas envie, que je n'étais pas dans le désir de lui, pas dans l'esprit de plaisir, mais il s'est glissé entre mes jambes, il m'a couverte de son corps, il est entré en moi.

« Reste là. Ne bouge plus. »

Je voulais juste qu'il soit là, à l'intérieur de moi. Qu'il comble mon trou. Qu'il me remplisse à jamais, sans jouir, sans finir.

XIV

Samuel aussi je l'ai pris pour Dieu, lui à qui j'ai cru pouvoir tout dire et dont j'ai cru qu'il pouvait tout entendre, même qu'il y avait en moi quelque chose de vil et de frivole qui me faisait désirer d'autres hommes. La première fois, c'était pendant le premier été de nos amours, alors que nous sortions ensemble depuis six mois à peine. Samuel passait le mois de juillet avec sa famille tandis que j'étais partie en Sardaigne chez mon amie Luna que j'avais rencontrée à Vienne l'été précédent. J'avais décidé d'aller seule chez elle, pour montrer à Samuel que moi aussi je pouvais m'éloigner et survivre sans lui. À peine débarquée, j'ai rencontré Francesco, l'ex de Luna, un Sarde de vingt-six ans au corps gracieux et au visage d'éphèbe. Il était grand, et ses cheveux noirs tombaient en mèches souples sur son front. Je suis tombée amoureuse à l'instant. Ce n'était pas sa parole qui m'attirait vers lui : nous ne parlions pas la même langue. Mon désir n'était fondé que sur l'apparence. Pas de l'amour mais une simple tentation charnelle, pas grand-chose, tout ce qui s'opposait à la profondeur et s'évaporerait avec le temps, une histoire de peau.

En attendant, mon âme entière est passée dans ma peau. Un soir sur la plage, Francesco a posé les mains sur mes épaules et m'a embrassée. Pendant trois semaines j'avais espéré ce baiser. Je recevais de Samuel de grandes lettres d'amour écrites en pattes de mouche, et je pensais à Francesco jour et nuit. Je n'avais qu'un désir : qu'il m'embrasse encore. Les jours passaient sans qu'il se manifeste. Il avait disparu. Luna n'avait pas le téléphone : il ne pouvait nous joindre. Quand, au bout de quatre jours, on a sonné à la porte, que Luna a ouvert et que j'ai entendu la voix de Francesco, mon cœur a bondi de joie. Francesco l'a suivie dans sa chambre et a refermé la porte derrière lui. Ils sont restés plus d'une heure enfermés dans la chambre, une heure où la jalousie m'a déchirée de ses pointes aiguës.

« *Come stai, Marie ?* » m'a demandé Francesco en entrant dans la cuisine où je faisais semblant de lire.

Je n'ai pas répondu. Il s'est approché, il a touché mon poignet, et je l'ai secoué comme s'il m'avait brûlée avec un tison. Ma colère l'a fait rire. Pour lui il n'y avait aucun drame, aucun sentiment négatif, juste du désir entre nous, que nous pouvions choisir de réaliser ou non. C'était l'Italie : le désir était léger et sans conséquence, une simple activité physique, l'équivalent d'un bon repas ou d'une conversation ; le corps était fait pour recevoir et donner du plaisir. Dans le studio où je l'ai suivi, Francesco a été surpris de se heurter à la même barrière que Samuel et que Walter l'été précédent.

« Tu n'as pas envie ? m'a-t-il demandé en italien. *Non hai voglia ?* »

L'italien me venait, par le corps, comme l'esprit vient aux filles.

« Si, j'ai envie, ai-je répondu en rougissant. *Ho voglia.* C'est juste que je ne sais pas comment. »

Il était de plus en plus surpris. Il savait, par Luna, que j'avais un petit ami. J'ai dû lui avouer que nous n'avions jamais fait l'amour, que nous n'y arrivions pas. Francesco ne s'est pas moqué de moi. Son rire était tendre et d'une exquise douceur. Il m'a dit que faire l'amour s'apprenait, et qu'il fallait trouver les moyens techniques de laisser venir à soi le plaisir. Selon lui, je n'étais pas une cause perdue. Il m'avait vue danser et mon corps épousait le rythme : j'habitais donc mon corps. L'amour, c'était comme la danse : il fallait se détendre et laisser le corps trouver le rythme. Il s'est allongé sur le lit et m'a dit de penser à lui comme à un morceau de bois, de l'oublier, de me coucher sur lui, de me frotter contre lui, de l'utiliser pour trouver mon plaisir.

Tout cela, je l'ai raconté à Samuel quand il m'a rejointe en Bretagne au début du mois d'août. Je lui avais déjà parlé de Francesco dans une lettre que je lui avais écrite de Sardaigne. Il m'avait répondu que ma lettre avait déchiqueté son cœur comme une scie à dents très fines. J'avais pleuré. Il n'avait rien compris. Il n'était pas possible qu'il ne comprenne rien, puisqu'il était celui qui comprenait tout. Il n'avait pas droit à ce sentiment cliché qu'était la jalousie. Il devait au contraire être reconnaissant à Francesco qui nous avait rendu service en m'apprenant à mieux connaître mon corps, son rythme et son fonctionnement.

«Tu dois remercier Francesco, Samuel. Il a préparé mon corps pour toi. Il l'a ouvert pour toi.»

C'est à peu près ce que j'ai dit à Samuel, ce que je l'ai obligé à croire.

«Pourquoi souffres-tu puisque c'est toi que j'aime et pas lui? Ne vois-tu pas que je suis ici avec toi, et pas là-bas avec lui? Il n'est rien : juste un corps, une image, un professeur de désir. C'est pour nous, pour toi, que j'ai fait l'amour avec lui. Quand il y a du désir, d'ailleurs, il faut le réaliser tout de suite pour qu'il n'en reste aucune trace. C'est Francesco qui me l'a dit. Il a raison. Tu vois : il ne me reste aucun désir de lui. Je ne pense même pas à lui. C'est toi qui penses à lui.»

Mon corps était là pour attester la vérité de mes paroles. En Bretagne, Samuel s'est étendu sur le lit, comme un bout de bois. Allongée sur lui, je me suis frottée et j'ai cherché mon plaisir. Le déclic a eu lieu. L'automne de nos vingt ans, nos corps ont franchi les dernières barrières et se sont connus entièrement. Grâce à la méthode que m'avait apprise Francesco, mon sexe s'est enfin ouvert pour laisser entrer sans douleur l'énorme sexe de Samuel.

Notre jouissance fut à la hauteur de l'attente et des efforts qui l'avaient précédée. Jour et nuit il n'y eut plus d'autre occupation. Matin, midi et soir. Impossible de s'endormir sans avoir fait l'amour; impossible de se réveiller sans faire l'amour aussitôt, et de se rendormir, alanguis, pour se réveiller une heure plus tard et faire l'amour à nouveau. Toute une année à faire l'amour. Quand, l'été d'après, nous avons été contraints de nous séparer parce que le père de Samuel voulait partir en voyage une dernière fois avec ses enfants déjà grands, j'ai passé des jours et des nuits à pleurer comme une veuve. Je ne savais plus dormir ni vivre sans Samuel, sans son corps lové contre le mien et sans son sexe en moi. J'ai pleuré pendant quinze jours, jusqu'à ce que Luna débarque à Paris avec Francesco. Un soir il dormait avec elle, et un soir avec moi. Ma douleur de veuve s'est dissipée, remplacée par une sourde culpabilité. Quand Samuel est rentré à Paris, lui qui avait passé un mois à m'attendre, à penser à moi jour et nuit, je lui ai fait admettre qu'il y avait plusieurs formes de désir.

Il y avait entre nous l'accord parfait du Verbe, et le Verbe s'était incarné. Contrairement à Ximena, Samuel ne me jugeait pas. Il n'était pas un Dieu de colère, mais un Dieu de clémence qui pouvait accepter que mon corps le trahisse puisque mon âme restait unie à la sienne, un Dieu de pitié que je pouvais crucifier et qui souffrait sur sa croix sans jamais se révolter.

XV

Dieu de souffrance. Je n'oublierai jamais son cri dans le night-club de Juan-les-Pins. Nous avons vingt et un ans et nous sortons ensemble depuis deux ans. Ce soir-là, je suis en proie à un ennui qui me vient parfois. Je me suis faite belle pour aller en boîte puisque nous l'avons décidé la veille, mais je n'ai pas envie de danser ni de boire, ni de voir la jeunesse dorée de la Côte d'Azur. Samuel nous apporte des gin tonic. Je n'ai plus de cigarettes. Il retourne faire la queue pour m'en acheter. Je sirote mon gin tonic, accoudée au bar, quand un garçon s'approche et s'assied sur le haut tabouret à côté du mien, typique bellâtre à la chemise ouverte sur un poitrail poilu et bronzé où brille une chaîne dorée.

«Je ne suis pas seule», dis-je d'un ton las.

Au lieu de me laisser tranquille, il enchaîne blague sur blague et réussit à me faire rire. Quand il met son bras autour de mes épaules et approche son visage du mien, je me laisse faire. Je me laisse prendre à pleines lèvres, à pleine langue. C'est sans importance. Mais c'est le moment que Samuel choisit pour revenir avec les cigarettes. Est-ce qu'il pousse une exclamation ou dit mon

114

nom ? Toute rouge, j'éloigne ma tête de celle du bellâtre, qui dévisage Samuel et ricane :

« C'est ce nabot, ton copain ? »

Samuel hurle comme une bête dans le chaos sonore de la boîte de nuit. Il me jette mon paquet de Camel à la figure. Il part en courant. Je lui cours après. Il n'est déjà plus sur la corniche. Je crie son nom : « Samuel ! Samuel ! » Il ne répond pas. Je me demande s'il a pu se tuer. J'ai peur. Il y avait de la violence et du désespoir dans son cri. Je marche le long de la mer en tremblant de froid dans mon dos-nu. Un vent fort souffle. J'ai la voix rauque à force de crier son nom. Il finit par répondre à mes appels. Il sort de la mer, trempé. Elle est glacée par cette nuit de mistral. Il a eu besoin du froid pour se calmer. Nous nous asseyons sur le muret de la plage et nous restons longtemps là à grelotter et pleurer. Je lui demande de me pardonner. De me pardonner d'être qui je suis. Frivole, superficielle et traître.

Pendant six ans je n'ai pas réussi à le quitter, même si mon désir allait vers d'autres hommes. Je ne pouvais pas imaginer ma vie sans lui. J'avais besoin de lui pour me sentir entière : besoin de sa parole, de son regard intense. Besoin de mots. Peur du silence. Peur du néant. Peur de l'absence de Dieu.

Samuel était lucide et fort. Il a essayé de se libérer. Il a connu d'autres femmes. À vingt-deux ans, il m'a quittée. Sans raison. Juste parce qu'il pensait que nous nous étions rencontrés trop jeunes pour faire notre vie ensemble, et qu'il n'y avait pas assez d'amour entre nous. Il a pris ses affaires, il a franchi la porte du studio où nous habitions, il est parti en pleurant sans prononcer un mot. Quand j'ai appelé chez ses parents, il a refusé de me parler au téléphone. J'ai enfourché mon vélo, j'ai foncé à travers Paris, j'ai sonné à la porte, j'ai exigé de le voir, je me suis assise dans la cuisine, j'ai dit que je ne sortirais pas avant de l'avoir vu. Il est entré dans la cuisine, les yeux graves sous ses longs cils. Il portait une chemise blanche en coton dont les manches étaient retroussées sur ses avant-bras couverts de poils noirs. Je ne l'avais jamais trouvé aussi beau.

« C'est fini, Marie », a-t-il dit doucement, d'une voix ferme.

Il m'a raccompagnée jusque dans la rue. J'ai détaché l'antivol de mon vélo, aveuglée par les larmes. Il a proposé de me ramener en voiture. Il craignait que j'aie un accident. J'ai éclaté de rire. Comme si l'accident était un risque, quand c'était lui qui me tuait ! Je l'ai regardé dans les yeux et je lui ai dit avec haine : « Je souhaite qu'une femme te fasse un jour le mal que tu me fais. »

Il m'avait rendue folle de douleur, et donc d'amour. Je croyais que la douleur était la preuve de l'amour. Vivre sans lui, amputée de ce corps qui était le sien, de ce sexe qui comblait mon trou, était impossible. J'ai interrompu mes études et je suis partie en Sardaigne retrouver Luna, tenter de me reconstruire sur le petit bout d'île où elle vivait à côté de la grande île, au rythme paisible qui était le sien. J'avais emporté *Hiroshima mon amour* et je lisais ces mots qui me semblaient avoir été écrits pour moi : « Tu me tues. Tu me fais du bien. » Je me dissolvais en larmes. J'étais hantée par une question : pourquoi m'as-tu abandonnée ?

Il n'y a pas de Passion plus grande que la souffrance,

pas de plus glorieuses épousailles de l'âme et du corps. Cet hiver-là, quand je suis rentrée d'Italie, j'ai trouvé une lettre de Samuel dans ma boîte. Il exprimait prudemment le désir de me revoir. Il parlait d'amitié et de malentendu. Nous sommes allés au restaurant, un soir de mars, après trois mois de séparation. Nous avons passé la soirée à parler comme si nous étions restés trois ans sans nous voir. Un flux de paroles jaillissait de nous et nous liait. Il m'a raccompagnée en voiture dans le petit studio où j'habitais seule. Je ne l'ai pas invité à monter. Nous nous sommes dit au revoir sans nous embrasser sur les joues, sans nous serrer la main. Tout contact des corps était impossible. Un feu nous aurait embrasés. Quelques jours plus tard nous nous sommes retrouvés dans le bois pour une promenade à vélo. Je lui ai lu les poèmes de Verlaine que Claire m'avait récités autrefois et dont les mots, par la souffrance, m'étaient devenus réels. Notre désir était si fort et violent qu'il se serait assouvi dans un bosquet où traînaient quelques capotes usagées, si des voix ne nous avaient dérangés. À vélo, Samuel m'a suivie chez moi. Nous sommes entrés dans mon studio, nous sommes tombés sur le lit, nous n'avons pas pris le temps de nous déshabiller, nous avons explosé l'un en l'autre.

La souffrance lie les corps mieux que le plaisir. Quelques mois plus tard, alors que nous serions à nouveau ensemble, un couple paisible et sûr de s'aimer, je perdrais subitement tout désir pour lui. Je me rappelle ce moment. Nous avions parcouru la Tchécoslovaquie en voiture, traversé l'Autriche, et nous rentrions en France en passant par le nord de l'Italie. Nous longions le lac Majeur. Nous avions très peu d'argent et cherchions un hôtel. Vers huit heures du soir, nous nous sommes arrêtés devant un vieux palace au bord du lac. Je suis entrée à tout hasard demander le prix, sachant déjà que ce n'était pas un endroit pour nous. J'étais en short, en tee-shirt et claquettes, les cheveux longs et emmêlés, l'air de la parfaite routarde. Le réceptionniste, à qui il restait des chambres, nous a fait un prix. Nous nous sommes retrouvés dans une chambre magnifique avec une grande fenêtre donnant sur le lac, la plus belle chambre de tout notre voyage. Il faisait frais, un temps d'automne précoce, mais l'hôtel disposait d'une piscine et d'une plage privée dont nous étions déterminés à profiter. C'est là, dans ce décor de rêve, que la vérité de mon désir m'est apparue. Alors que je contemplais le rectangle blanc du lit et le gris-bleu du lac par la baie vitrée, un sentiment d'ennui m'a accablée. J'ai entendu une voix claire : « Tu n'aimes pas Samuel. Tu ne l'aimes plus. »

On sait que le bourreau et la victime sont liés. La souffrance que j'infligerais à Samuel, la croix sur laquelle je le clouerais nous uniraient plus que tous les serments. Il y aurait Guillaume, rencontré en Bretagne cet été-là au retour de notre grand voyage, alors que Samuel était parti pour l'est de la France où il était appelé comme conscrit. Juste une amourette de fin de vacances, une promenade sur les falaises, des poèmes lus sous la pluie, des baisers dans la voiture. Guillaume était plus jeune que moi, aussi blond que Samuel était brun, charmant. De Guillaume, je ne parlerais pas à Samuel. Nous n'avions même pas fait l'amour, ce n'était rien, juste une obsession dont je croyais qu'elle disparaîtrait vite, un acte qui n'avait pas eu lieu et qui a pourtant pris forme le matin où je suis rentrée de Bretagne. Je devais retrouver en Alsace Samuel qui avait obtenu une journée de permission. Ce serait notre unique journée ensemble avant mon départ pour l'Amérique où j'allais passer un an tandis qu'il resterait en France pour son service militaire. Ce matin-là, je ne me suis pas réveillée. Quand j'ai ouvert les yeux, j'ai vu le soleil inonder mon studio. Il était neuf heures du matin. J'avais raté mon train. Affolée, j'ai sauté dans mes habits, j'ai couru vers le métro, je me suis précipitée à la gare : le prochain train partait cinq heures plus tard. Il n'y avait pas moyen de prévenir Samuel. Pendant les quatre heures du voyage, je n'ai cessé de penser à Guillaume. Quand je suis descendue du train en fin d'après-midi, j'ai vu Samuel, allongé sur un banc du quai, le crâne tondu, dans son uniforme militaire. Il m'attendait là depuis six heures. Il avait les yeux ravagés de souffrance.

En Amérique, cet automne-là, j'ai espéré en vain une lettre de Guillaume. J'ai couché avec Torben, Peter et Eben, et j'ai cru que j'aimais toujours Samuel. Ses lettres me parvenaient, régulières, six ou huit feuillets de papier bible couverts de sa petite écriture penchée. Nous avions des combines pour nous parler au téléphone trois fois par semaine. Il était celui que mes aveux déchiraient, celui qui me consolait quand mon amant du moment m'avait rejetée et que je pleurais dans ma chambrette toutes les larmes de mon corps, celui qui m'enveloppait d'une fine chemise de mots.

À Noël nous nous sommes retrouvés au Mexique, où nous voyagions pour la première fois. Samuel avait réussi à rassembler toutes ses permissions pour prendre ces quinze jours de vacances avec moi. Une amie mexicaine nous prêtait son studio au cœur de Mexico. La première nuit. Il arrivait de Paris, moi de New York. Il a sonné, j'ai ouvert et il m'a souri, lui dont la parole et les mots écrits m'avaient accompagnée chaque jour de ces six derniers mois. Il était debout sur le seuil, un gros sac noir sur l'épaule, la mâchoire rendue encore plus proéminente par ses cheveux ras. Pas assez grand. Nous avons passé la nuit sans dormir, chacun allongé d'un côté du lit. Toute la nuit sans dormir, tenus éveillés par la souffrance de mon désir absent. Pendant quatre jours, nous avons arpenté les rues de Mexico, nous avons vu les églises, les musées, les parcs, les fresques de Diego Rivera, les tableaux de Frida Kahlo, puis nous sommes descendus en train et en bus vers le sud : Oaxaca, Puerto Angel, Villahermosa, Palenque, Mérida, Tulum. L'enchantement du voyage, des maisons blanches, de la chaleur et des pyramides, des femmes en huipiles rouge et blanc, anesthésiait la souffrance des retrouvailles ratées. À la fin du voyage, j'ai dit à Samuel :

« Promets-moi de toujours m'aimer et de ne jamais me quitter même si je n'ai plus jamais de désir pour toi. »

Il a promis. Il a dit qu'il m'aimait assez pour accepter même le retrait de mon corps. Qu'il m'aimait inconditionnellement.

XVI

J'ai rencontré Al. L'année suivante, à une fête à Boston
où vivait alors Samuel. Un homme grand, aux épaules
larges, à la peau mate, au visage harmonieux. Sous le
regard sombre et douloureux de Samuel qui se posait
sur moi à intervalles réguliers, Al et moi sommes restés la
soirée entière assis sur un canapé, à parler. Pas de la mort
de Thomas, pas de haine de soi. Des pays où nous avions
voyagé, du Mexique, du Brésil, des villes que nous avions
visitées, des langues étrangères que nous connaissions,
de films que nous avions aimés. De choses insignifiantes.
Une parole légère, sans enjeu, sans danger, qui ne signifiait rien qu'un début de séduction. Avant de nous séparer, nous avons échangé nos numéros de téléphone sur
de petites serviettes en papier. À peine rentrée chez moi,
à New Haven, je l'ai appelé. Il est venu me rendre visite.
C'était le mois de mai, il faisait beau. Nous sommes allés
pique-niquer sur la plage et nous avons passé six heures
à bavarder, de tout, de rien. Que j'aie un petit ami ne
semblait pas le gêner. J'ai proposé une promenade sur
la digue au soleil couchant. Il a dit oui. Comme je m'y
attendais, quand nous sommes parvenus tout au bout,

sur le dernier rocher où l'eau nous cernait, il s'est penché vers moi et m'a embrassée. Beau comme un dieu, il semblait descendu du ciel pour me plaire.

Sa beauté m'a tout de suite inspiré de la méfiance. C'était le genre d'homme qu'on trouvait dans les pages de publicité des magazines en papier glacé. Tout en moi s'est arc-bouté contre mon désir. Trop facile, ce désir, trop évident, superficiel évidemment, désir d'image de catalogue. Mauvais, puisque trop bon. À Boston où j'étais allée passer dix jours chez Samuel, je retrouvais secrètement Al chaque après-midi au bord de la rivière. Il était toujours disponible quand je téléphonais pour lui donner rendez-vous, comme si son travail n'avait aucune réalité. Nous nous allongions dans l'herbe sur les rives de la Charles. J'étais sûre que rien ne m'attirait vers lui sinon un désir physique qui disparaîtrait dès qu'il serait satisfait. Rien de dangereux, rien de profond. Il ne me connaissait pas. Nous n'avions pas grand-chose à nous dire, sinon des anecdotes. J'avais juste envie de sa bouche et de toucher sa peau. Al était un prince de conte de fées, un étranger qui le resterait : aucune souffrance ne nous liait.

Je n'ai pas su comprendre que je l'aimais, parce que j'avais trop besoin du verbe, et que le verbe c'était Samuel. Trop besoin de la croix, et que la croix c'était Samuel. Un mois après avoir rencontré Al, je suis rentrée en Europe. Nous n'avions toujours pas couché ensemble. Il m'a téléphoné à Paris une semaine plus tard. Il venait d'acheter un billet d'avion pour Rome : n'avais-je pas envie de faire un petit tour à Rome ? Il me posait la question sur un ton léger, charmant, comme s'il n'y avait pas d'idée plus innocente et inoffensive, comme s'il n'avait pas conscience qu'*un petit tour à Rome* signifiait que je le reverrais sur le continent qui était le mien et celui de Samuel, et que d'un coup de griffes de sa patte de velours il allait déchirer ma loyauté envers un autre amour. Au cœur de l'été, j'ai rejoint Al à Rome en cachette de Samuel. Nous étions allongés, nus, sur le lit d'une petite pension près de la gare où nous avions eu la chance de trouver une chambre sans avoir réservé. Nous nous embrassions. Nous allions enfin faire l'amour. Je devais passer dix jours avec lui. Je m'étais donné ces dix jours pour assouvir mon désir, en finir, et ne plus y penser. Revenir vers Samuel, entière, sans trouble.

J'attendais qu'Al me pénètre. Mais le réel m'a joué un tour : Al ne bandait pas. Il avait beau se coller contre moi, j'avais beau le serrer dans ma main, le recevoir dans ma bouche, son sexe restait mou. Inerte et flasque, comme une punition divine pour ma trahison. Avec Samuel, rien de tel ne m'était arrivé. Il suffisait qu'il s'approche de moi pour que son sexe se dresse. Celui d'Al était recroquevillé sur l'oreiller des couilles, invisible, comme s'il me résistait. La colère m'a saisie. Je revoyais le regard de Samuel, l'avant-veille, quand il m'avait quittée sur le marchepied du train-couchette gare de Lyon et souhaité bon voyage, avec, au fond des yeux, une tristesse révélant malgré lui qu'il n'était pas dupe de mon envie de partir seule en Italie. Pourquoi tromper Samuel avec un homme qui ne bandait pas ? Pourquoi avais-je traversé la France en train et franchi la frontière sinon pour réaliser mon désir et ne garder aucun reste ? Dans un mouvement d'impatience, je me suis dégagée et me suis levée.

« Tu vas où ? m'a demandé Al tendrement.

— Me promener. Seule. J'ai besoin d'air. »

Je l'ai planté là. Au cours de la journée, tandis que j'errais dans les rues de Rome écrasées de chaleur et me réfugiais dans la fraîcheur des églises baroques dont l'odeur d'encens me rappelait mon enfance, ma colère s'est calmée. J'ai pensé à mon bonheur fou, la veille à midi, quand j'avais vu Al à la Stazione Termini, alors que mon train avait trois heures de retard et que nous n'avions d'autre moyen de nous retrouver que ce rendez-vous sur un quai de gare dans une ville étrangère pris au téléphone une semaine plus tôt entre Boston et Paris. Affolée, certaine que je l'avais manqué, je courais dans la gare quand une main m'avait stoppée par-derrière : « *Mais où courez-vous, mademoiselle ?* » Sa voix désirée, que je n'avais jamais entendue jusque-là prononcer des mots en français. J'avais fait volte-face : il me souriait, grand, vêtu d'un jean blanc et d'une chemise Oxford bleu ciel qui rendait encore plus mate sa peau et plus sombres ses grands yeux écartés — d'une beauté sidérante. Nous nous étions embrassés pendant plus de dix minutes, immobiles, mon sac à nos pieds, tandis que les gens couraient autour de nous. Il m'avait donné cela, qui avait toujours suscité mon envie : un baiser passionné d'amants sur un quai de gare. J'ai pensé à son ingéniosité, pendant la nuit, quand le matelas trop mou du lit de la petite pension bon marché avait réveillé mon mal de dos et qu'il avait ôté de ses gonds la porte de l'armoire en bois pour la glisser sous mon côté du matelas. J'ai pensé à sa bouche aux lèvres presque mauves, à ses mains qui tremblaient, à son évidente nervosité, à son émotion de jeune homme et à mon impatience. Je suis retournée à l'hôtel, pleine de désir pour lui. Il était dans la chambre. Il n'a pas levé les yeux quand je suis entrée. Il rangeait ses affaires dans son sac à dos.

«Qu'est-ce que tu fais?

— Je rentre à Boston.

— À Boston! Pourquoi?

— Je n'ai jamais été aussi insulté.»

Je me suis confondue en excuses et lui ai demandé de rester. Il ne m'écoutait pas. Il était en fureur. Un homme fier. Un Latin, que mes larmes n'apitoyaient pas.

C'était notre première dispute, la première fois qu'il me résistait, la première souffrance entre nous. De l'amour en est aussitôt tombé, confirmant la loi. Je ne voulais pas qu'il parte. Je l'ai supplié avec une vraie humilité. J'ai trouvé les arguments qui ont réveillé sa tendresse. Je lui ai dit que ma méchanceté venait de ma peur qu'il ne me trouve pas désirable. Nous avons fait l'amour ce soir-là, et tous les jours qui ont suivi. Il fallait souffrir pour aimer.

Mais la souffrance de Samuel était tellement plus grande. Elle me liait à lui, viscéralement. Elle était plus forte que mon désir d'Al. Quand, de retour à Paris, je lui ai avoué cette nouvelle trahison, nous avons pleuré dans les bras l'un de l'autre. Ces larmes étaient plus vraies que ma joie quand je décrochais le téléphone et entendais la voix d'Al. Mon désir d'Al venait de ma nature mauvaise, de ma superficialité, de ma vanité que j'avais haïe dans mon adolescence. J'arriverais à le vaincre. C'est avec la bénédiction de Samuel que je suis retournée au mois d'août à Boston, chcz Al, pour y épuiser mon désir de lui. Quand je recevais une lettre de Samuel, quand je déchiffrais ses pattes de mouche évoquant en termes pudiques et nobles sa souffrance et exprimant sa confiance en moi, en nous, j'étais plus moi-même que dans l'abandon avec Al. J'étais moi dans les larmes. Dans mes lettres à Samuel, je dénonçais ma futilité. J'avais toujours rêvé d'un homme grand, contre la poitrine duquel on pouvait reposer sa tête quand on le retrouvait sur un quai de gare. Al mesurait un mètre quatre-vingt-trois et Samuel un mètre soixante-treize. «Ces dix centimètres qui te manquent et me séparent de toi», écrivais-je à Samuel. Les mots me déchiraient autant que lui. Il les lisait et ne rompait pas. Il était prêt à boire la coupe jusqu'à la lie.

L'après-midi Al m'emmenait à la plage. Le soir il cuisinait pour moi des plats délicieux. Il m'achetait ici et là de petits cadeaux. Il n'entendait pas mon silence, qui, pour Samuel, aurait été criant. Il ne semblait pas remarquer les longues missives sur papier bible que je lisais presque chaque jour en pleurant. Avait-il oublié qu'il y avait un autre homme à Paris, n'imaginait-il pas sa souffrance, ne se posait-il aucune question, vivait-il dans un rêve, dans une bulle de présent sans perspective d'avenir? Un soir j'ai décidé de lui parler. Je lui ai dit que je passais avec lui une merveilleuse semaine, qu'il était un amant merveilleux doublé d'un cuisinier merveilleux, que nous faisions merveilleusement l'amour, mais qu'il ne devait pas oublier que j'en aimais un autre.

J'avais soulagé ma conscience. Il ne restait qu'à recevoir l'absolution pour jouir d'une deuxième semaine de rêve sans me sentir coupable.

Le morceau tendre d'agneau rosé qu'Al avait piqué de sa fourchette n'est jamais parvenu à sa bouche. Il l'a

reposé sur son assiette d'une main qui tremblait légèrement. Il m'a regardée avec une sévérité qui m'a fait peur.
Il a prononcé ces mots :

«Va-t'en.»

J'ai haussé les sourcils.

«Maintenant?

— Il y a un train pour New Haven à 22 h 40. Fais ta
valise.»

Il n'y avait rien à dire. C'était aussi simple qu'une
équation mathématique : je ne l'aimais pas, il me met-
tait à la porte. À Rome, j'avais réussi à le manipuler
avec mes mots. Là, j'ai senti que ce n'était même pas la
peine d'essayer. Paroles et sanglots auraient glissé sur lui
comme sur une carapace lisse. Sa réaction a confirmé
ce que je pensais : je ne l'aimais pas. Je ne pouvais pas
aimer un homme qui ne communiait pas avec moi dans
la parole et les larmes. La force du désir qui me poussait
vers lui, le bonheur infini de ses lèvres sur les miennes
et de son sexe en moi n'étaient certainement pas de
l'amour.

De New Haven, j'ai appelé Samuel pour lui dire que
j'avais enfin rompu avec Al. Il a été fou de joie. J'aurais
dû triompher, moi qui avais sacrifié à l'amour vrai une
histoire de peau. Mais du matin au soir je pleurais. Je
pleurais en me réveillant, en marchant dans la rue, à la
bibliothèque, en mangeant, dans la salle d'attente du
centre médical où je m'étais rendue car mon sexe s'était
soudain enflammé, mais ce n'était pas de douleur physique que je pleurais, au contraire cette brûlure qui était
un souvenir d'Al, la dernière trace de lui, soulageait un
tout petit peu mon chagrin. Je ne pouvais arrêter mes

larmes face au médecin qui m'a demandé pourquoi je pleurais, à qui j'ai dit, pour simplifier, que mon petit ami venait de rompre, et qui a redoublé mes sanglots en me répondant : «Quand il y a tant de passion, ce n'est jamais fini.» Comment lui expliquer que la passion n'était pas l'amour et que je n'aimais pas celui pour qui je versais tant de larmes?

Quand Al m'a appelée au bout de cinq jours, quand j'ai entendu sa voix prononcer mon nom, quand il m'a dit qu'il pensait à moi et qu'il voulait me voir, j'ai seulement pu répondre : «Moi aussi.» J'ai oublié Samuel et tous mes serments. Pendant trois heures j'ai attendu Al qui est venu me chercher en voiture. La sonnerie a retenti trois heures exactement après son appel. J'ai ouvert : il était là, debout dans l'embrasure de la porte. Trois heures plus tard nous étions de retour chez lui où nous avons fait l'amour par terre en arrachant nos vêtements.

Samuel a voulu me rendre ma liberté. Au téléphone, je l'ai supplié de ne pas rompre. Je n'aimais pas Al, j'en étais sûre. Ce qui m'attirait vers lui n'était qu'une faiblesse de la chair que je finirais par vaincre. Il devait me laisser un peu plus de temps. Mon corps n'aurait pas raison de moi.

Il a fallu qu'Al rompe, que nous nous déchirions, que ma souffrance devienne intolérable, pour que je croie enfin l'aimer. Un soir, après une dispute grave, il m'a dit à nouveau de partir. Cette fois, c'était fini. Puisque j'étais incapable de quitter Samuel pour lui, notre histoire n'avait aucun sens. Al n'était pas prêt à se laisser torturer, crucifier, consumer de souffrance. Je sanglotais sur son lit. Sa froideur et sa distance, l'idée de ne plus le voir, de ne plus faire l'amour avec lui, étaient insupportables.

«J'ai trop mal, Al. Je t'aime.»

Il ne s'est pas penché vers moi. Il n'a pas posé la main sur mon épaule, il n'a pas eu de geste consolateur. Il m'a dit d'une voix dure et presque méprisante :

« Que tu souffres ne veut pas dire que tu m'aimes.»

Sa réponse m'a stupéfiée. Mots mystérieux. Phrase énigmatique que je retourne dans ma tête comme un sésame. Si la douleur n'est pas une preuve d'amour, qu'est-elle ? Et quelle est la preuve de l'amour ? Nouvel éclairage aussi fort que celui que Samuel avait apporté autrefois sur la mort de Thomas, si aveuglant que pour l'instant je ne vois plus rien du tout. Nouveau savoir.

Qu'est-ce que l'amour ? Al et Samuel me donneraient chacun une réponse similaire. Alors que, des mois plus tard, de retour à Paris, je dirais à Samuel que j'étais certaine de ne pas aimer Al, qu'il était très différent de moi, que je m'ennuyais parfois avec lui et n'avais pas grand-chose à lui dire, qu'il était beau, certes, mais d'une beauté de magazine, et que la beauté n'avait rien d'une donnée objective, enfin que je ne comprenais vraiment pas pourquoi je ne parvenais pas à l'oublier, Samuel s'exclamerait :

«Tu l'aimes !

— Je suis en train de te dire le contraire.

— L'amour, c'est quand on n'a aucune raison d'aimer.»

Et Al me dirait, lors du dernier passage à Paris avant sa disparition :

«L'amour est une question de foi.»

Ils parlaient d'un mystère que je ne comprenais pas.

Ce même hiver, alors que Samuel et Al m'auraient tous deux abandonnée, je me rappellerais une autre phrase prononcée par Al huit mois plus tôt, sur une plage près de Boston, au tout début de notre aventure légère et sans conséquence. Alors que nous étions enlacés sur le sable, j'avais pouffé de rire. «Pourquoi tu ris? — Parce que je te connais à peine et que nous allons nous marier. — Nous marier? avait répété Al d'un ton incrédule, comme s'il n'était pas sûr d'avoir bien entendu. — Oui. Si je quitte mon fiancé, ce sera pour t'épouser, non?» En d'autres termes : on ne lâche pas la proie pour l'ombre. Ce n'était qu'une taquinerie, bien sûr — une hypothèse absurde et comique. Il était inconcevable que je quitte Samuel pour devenir l'épouse de ce bel étranger exotique qui ne savait rien de moi. Voilà pourquoi j'avais pu parler de mariage avec tant de désinvolture. Je n'étais pas en train de lui faire une proposition. Je trouvais cette idée risible et m'attendais à ce qu'Al rie aussi et m'appelle tendrement sa petite épouse, moi, l'amante d'un été qu'il ne reverrait pas. Au lieu de quoi il avait rétorqué d'une voix sévère et presque méprisante :

«Tu aurais besoin d'être seule.»

J'avais haussé les sourcils en me disant qu'il manquait vraiment d'humour et de courtoisie.

Plus tard, dans ma solitude, cette phrase s'inscrirait sur la tablette en cire de mon esprit comme la loi d'une nouvelle religion. Je la comprendrais enfin. Al m'annonçait par ces mots qu'il refusait de prendre la place de Samuel : il ne serait pas là pour me servir de croix. Lui qui avait grandi dans un pays communiste et connu l'arrachement, il déclarait que nous étions tous seuls, que c'était notre condition. Il me disait que l'on ne pouvait vivre que lorsqu'on l'avait compris. On ne pouvait vivre, et aimer, qu'en s'étant débarrassé de la peur — la peur d'être seul, la peur de vivre, la peur de faire du mal à l'autre, la culpabilité. Cette peur que j'appelle Dieu.

C'est ce savoir nouveau, cette illumination, qui me permettrait d'appeler Al, un an après, lors d'un passage à Boston. La colère était tombée. Je voulais le remercier pour sa leçon de sagesse.

Nous nous sommes revus dans un café de Cambridge. Deux semaines plus tard nous étions fiancés.

Alors que nous étions dans sa cuisine, à Boston, en train de boire un verre de vin après avoir fait l'amour, je lui ai dit amoureusement, en contemplant son beau visage aux yeux noirs écartés :

« Dis, quand on sera mariés, tu resteras mon amant ? »

C'était une boutade, une façon d'exprimer mon désir, dont je devinais qu'il ne diminuerait pas avec le mariage. Ma question signifiait : « On ne fera pas comme les autres, hein ? Tu ne seras pas mon "mari", ce tue-désir ? Tu resteras celui que tu es maintenant ? Le désir chez nous sera toujours vivant, passera avant tout ? On fera l'amour à toute heure, et partout ? »

Il fumait, les jambes croisées, appuyé contre le comptoir. Au lieu de me sourire avec tendresse, il a froncé les sourcils. Sa réponse a fusé, sèche, avec une pointe de colère :

« Non. Je serai ton mari. »

Sur le moment je n'ai pas compris pourquoi il me rabrouait. J'ai trouvé qu'il n'était pas très gentil. Mais en même temps j'ai confusément senti ce qui l'irritait : ma demande mièvre d'une assurance d'infini.

Sa réponse voulait dire : « Il est possible que je n'aie pas de désir. Que je ne sois pas seulement dans le désir de toi. Qu'il y ait dans ma vie d'autres soucis, d'autres pensées, d'autres inquiétudes. Tu devras l'accepter. Tu devras m'accepter avec ma fragilité. Je ne suis pas Dieu. »

Dieu n'a pas disparu complètement. Dans la chapelle bretonne au cœur de la lande où, tous deux non-croyants, nous avions choisi de consacrer notre union — car où le faire ailleurs qu'au pied d'un autel, sous l'œil de Celui qui entend les serments ? — j'ai senti une telle plénitude que j'ai pensé qu'un bonheur si grand ici-bas se paierait forcément un jour.

Composition : Dominique Guillaumin
Impression CPI Firmin-Didot
à Mesnil-sur-l'Estrée, le 2 juin 2014.
Dépôt légal : juin 2014.
Numéro d'imprimeur : 123131.
ISBN 978-2-07-014642-0/Imprimé en France.

269882